ZAZIE DANS LE MÉTRO

Raymond Queneau

TEXTE INTÉGRAL

+dossier
par Mélanie Pircar

Mélanie Pircar est agrégée de lettres modernes.
Laura Yates a réalisé les infographies et les pictos.

ὁ πλάσας ἠφάνισεν[1]

ARISTOTE

1. « C'est celui qui l'avait fait qui l'a fait disparaître. »

1

Doukipudonktan[1], se demanda Gabriel excédé. Pas possible, ils se nettoient jamais. Dans le journal, on dit qu'il y a pas onze pour cent des appartements à Paris qui ont des salles de bains, ça m'étonne pas, mais on peut se laver sans. Tous ceux-là qui m'entourent, ils doivent pas faire de grands efforts. D'un autre côté, c'est tout de même pas un choix parmi les plus crasseux de Paris. Y a pas de raison. C'est le hasard qui les a réunis. On peut pas supposer que les gens qu'attendent à la gare d'Austerlitz sentent plus mauvais que ceux qu'attendent à la gare de Lyon. Non vraiment, y a pas de raison. Tout de même quelle odeur.

Gabriel extirpa de sa manche une pochette de soie couleur mauve et s'en tamponna le tarin.

— Qu'est-ce qui pue comme ça? dit une bonne femme à haute voix.

Elle pensait pas à elle en disant ça, elle était pas égoïste, elle voulait parler du parfum qui émanait de ce meussieu.

---

1. À lire phonétiquement. Voir *Les mots ont une histoire*, p. 242.

— Ça, ptite mère, répondit Gabriel qui avait de la vitesse dans la repartie, c'est Barbouze, un parfum de chez Fior[1].

20 — Ça devrait pas être permis d'empester le monde comme ça, continua la rombière sûre de son bon droit.

— Si je comprends bien, ptite mère, tu crois que ton parfum naturel fait la pige à[2] celui des rosiers. Eh bien, tu te trompes, ptite mère, tu te trompes.

25 — T'entends ça? dit la bonne femme à un ptit type à côté d'elle, probablement celui qu'avait le droit de la grimper légalement. T'entends comme il me manque de respect, ce gros cochon?

Le ptit type examina le gabarit de Gabriel et se dit c'est un malabar, mais les malabars c'est toujours bon, ça profite jamais 30 de leur force, ça serait lâche de leur part. Tout faraud[3], il cria :

— Tu pues, eh gorille.

Gabriel soupira. Encore faire appel à la violence. Ça le dégoûtait cette contrainte. Depuis l'hominisation première, ça n'avait jamais arrêté. Mais enfin fallait ce qu'il fallait. C'était pas de sa faute à lui, 35 Gabriel, si c'était toujours les faibles qui emmerdaient le monde. Il allait tout de même laisser une chance au moucheron.

— Répète un peu voir, qu'il dit Gabriel.

Un peu étonné que le costaud répliquât, le ptit type prit le temps de fignoler la réponse que voici :

---

1. Nom de parfum et marque de cosmétique inventés par Queneau. Un « barbouze » est un agent secret, et « Fior » rappelle autant le nom du célèbre parfumeur Christian Dior que le terme argotique « fion » : le postérieur...
2. Est meilleur que.
3. Fanfaron.

— Répéter un peu quoi ?

Pas mécontent de sa formule, le ptit type. Seulement, l'armoire à glace insistait : elle se pencha pour proférer cette pentasyllabe monophasée[1] :

— Skeutadittaleur…

Le ptit type se mit à craindre. C'était le temps pour lui, c'était le moment de se forger quelque bouclier verbal. Le premier qu'il trouva fut un alexandrin :

— D'abord, je vous permets pas de me tutoyer.

— Foireux, répliqua Gabriel avec simplicité.

Et il leva le bras comme s'il voulait donner la beigne à son interlocuteur. Sans insister, celui-ci s'en alla de lui-même au sol, parmi les jambes des gens. Il avait une grosse envie de pleurer. Heureusement vlà ltrain qu'entre en gare, ce qui change le paysage. La foule parfumée dirige ses multiples regards vers les arrivants qui commencent à défiler, les hommes d'affaires en tête au pas accéléré avec leur porte-documents au bout du bras pour tout bagage et leur air de savoir voyager mieux que les autres.

Gabriel regarde dans le lointain ; elles, elles doivent être à la traîne, les femmes, c'est toujours à la traîne ; mais non, une mouflette[2] surgit qui l'interpelle :

— Chsuis Zazie, jparie que tu es mon tonton Gabriel.

---

1. Groupe de cinq syllabes prononcées d'une seule émission de voix. Voir *Les mots ont une histoire*, p. 242.
2. Fillette. Voir *Les mots ont une histoire*, p. 242.

— C'est bien moi, répond Gabriel en anoblissant son ton. Oui, je suis ton tonton.

65 _ La gosse se mare. Gabriel, souriant poliment, la prend dans ses bras, il la transporte au niveau de ses lèvres, il l'embrasse, elle l'embrasse, il la redescend.

— Tu sens rien bon, dit l'enfant.

— Barbouze de chez Fior, explique le colosse.

70 _ — Tu m'en mettras un peu derrière les oreilles?

— C'est un parfum d'homme.

— Tu vois l'objet, dit Jeanne Lalochère s'amenant enfin. T'as bien voulu t'en charger, eh bien, le voilà.

— Ça ira, dit Gabriel.

75 _ — Je peux te faire confiance? Tu comprends, je ne veux pas qu'elle se fasse violer par toute la famille.

— Mais, manman, tu sais bien que tu étais arrivée juste au bon moment, la dernière fois.

— En tout cas, dit Jeanne Lalochère, je ne veux pas que ça

80 _ recommence.

— Tu peux être tranquille, dit Gabriel.

— Bon. Alors je vous retrouve ici après-demain pour le train de six heures soixante.

— Côté départ, dit Gabriel.

85 _ — Natürlich[1], dit Jeanne Lalochère qui avait été occupée. À propos, ta femme, ça va?

---

1. « Naturellement », en allemand. Allusion à la période de l'Occupation.

— Je te remercie. Tu viendras pas nous voir ?

— J'aurai pas le temps.

— C'est comme ça qu'elle est quand elle a un jules, dit Zazie, la famille ça compte plus pour elle. _ 90

— À rvoir, ma chérie. À rvoir, Gaby.

Elle se tire.

Zazie commente les événements :

— Elle est mordue.

Gabriel hausse les épaules. Il ne dit rien. Il saisit la valoche à _ 95 Zazie.

Maintenant, il dit quelque chose.

— En route, qu'il dit.

Et il fonce, projetant à droite et à gauche tout ce qui se trouve sur sa trajectoire. Zazie galope derrière. _ 100

— Tonton, qu'elle crie, on prend le métro ?

— Non.

— Comment ça, non ?

Elle s'est arrêtée. Gabriel stope également, se retourne, pose la valoche et se met à espliquer. _ 105

— Bin oui : non. Aujourd'hui, pas moyen. Y a grève.

— Y a grève.

— Bin oui : y a grève. Le métro, ce moyen de transport éminemment parisien, s'est endormi sous terre, car les employés aux pinces perforantes[1] ont cessé tout travail. _ 110

1. Les contrôleurs du métro.

— Ah les salauds, s'écrie Zazie, ah les vaches. Me faire ça à moi.

— Y a pas qu'à toi qu'ils font ça, dit Gabriel parfaitement objectif.

115 — Jm'en fous. N'empêche que c'est à moi que ça arrive, moi qu'étais si heureuse, si contente et tout de m'aller voiturer dans lmétro. Sacrebleu, merde alors.

— Faut te faire une raison, dit Gabriel dont les propos se nuançaient parfois d'un thomisme légèrement kantien[1].

120 Et, passant sur le plan de la cosubjectivité[2], il ajouta :

— Et puis faut se grouiller : Charles attend.

— Oh ! celle-là je la connais, s'esclama Zazie furieuse, je l'ai lue dans les Mémoires du général Vermot[3].

— Mais non, dit Gabriel, mais non, Charles, c'est un pote et 125 il a un tac. Je nous le sommes réservé à cause de la grève précisément, son tac. T'as compris ? En route.

Il resaisit la valoche d'une main et de l'autre il entraîna Zazie.

Charles effectivement attendait en lisant dans une feuille hebdomadaire la chronique des cœurs saignants[4]. Il cherchait, et 130 ça faisait des années qu'il cherchait, une entrelardée[5] à laquelle il puisse faire don des quarante-cinq cerises de son printemps.

---

1. Le « thomisme » désigne la pensée de saint Thomas d'Aquin, tandis que « kantien » est l'adjectif formé à partir du nom du philosophe allemand Emmanuel Kant. C'est une plaisanterie, car Gabriel a prononcé une phrase qui ne semble pas lui avoir demandé beaucoup de réflexion...
2. Terme philosophique : s'adressant maintenant pleinement à Zazie.
3. L'*Almanach Vermot*, qui existe depuis 1886, est célèbre pour ses calembours, à l'image de celui-ci : « Charles attend/Charlatan ».
4. La rubrique du courrier du cœur, présente dans de nombreux journaux populaires.
5. Ici, femme appétissante, l'allusion est grivoise et peu flatteuse.

Mais les celles qui, comme ça, dans cette gazette, se plaignaient, il les trouvait toujours soit trop dindes, soit trop tartes. Perfides ou sournoises. Il flairait la paille dans les poutrelles des lamentations[1] et découvrait la vache en puissance dans la poupée la plus meurtrie. _ 135

— Bonjour, petite, dit-il à Zazie sans la regarder en rangeant soigneusement sa publication sous ses fesses.

— Il est rien moche son bahut, dit Zazie.

— Monte, dit Gabriel, et sois pas snob. _ 140

— Snob mon cul, dit Zazie.

— Elle est marante, ta petite nièce, dit Charles qui pousse la seringue[2] et fait tourner le moulin.

D'une main légère mais puissante, Gabriel envoie Zazie s'asseoir au fond du tac, puis il s'installe à côté d'elle. _ 145

Zazie proteste.

— Tu m'écrases, qu'elle hurle folle de rage.

— Ça promet, remarque succinctement Charles d'une voix paisible.

Il démarre. _ 150

On roule un peu, puis Gabriel montre le paysage d'un geste magnifique.

— Ah ! Paris, qu'il profère d'un ton encourageant, quelle belle ville. Regarde-moi ça si c'est beau.

---

1. Jeu de mots complexe combinant deux références : « voir la paille dans l'œil d'autrui et ne pas voir la poutre dans le sien », dans l'Évangile, c'est être intransigeant avec les autres sans se remettre en question soi-même. Mais la « paille » désigne aussi un défaut dans une pièce de métal, ici la « poutrelle ».
2. Le taxi.

— Je m'en fous, dit Zazie, moi ce que j'aurais voulu c'est aller dans le métro.

— Le métro ! beugle Gabriel, le métro !! mais le voilà !!!

Et, du doigt, il désigne quelque chose en l'air.

Zazie fronce le sourcil. Essméfie.

— Le métro ? qu'elle répète. Le métro, ajoute-t-elle avec mépris, le métro, c'est sous terre, le métro. Non mais.

— Çui-là, dit Gabriel, c'est l'aérien.

— Alors, c'est pas le métro.

— Je vais t'esspliquer, dit Gabriel. Quelquefois, il sort de terre et ensuite il y rerentre.

— Des histoires.

Gabriel se sent impuissant (geste), puis, désireux de changer de conversation, il désigne de nouveau quelque chose sur leur chemin.

— Et ça ! mugit-il, regarde !! le Panthéon !!!

— Qu'est-ce qu'il faut pas entendre, dit Charles sans se retourner.

Il conduisait lentement pour que la petite puisse voir les curiosités et s'instruise par-dessus le marché.

— C'est peut-être pas le Panthéon ? demande Gabriel.

Il y a quelque chose de narquois dans sa question.

— Non, dit Charles avec force. Non, non et non, c'est pas le Panthéon.

— Et qu'est-ce que ça serait alors d'après toi ?

La narquoiserie du ton devient presque offensante pour l'interlocuteur qui, d'ailleurs, s'empresse d'avouer sa défaite.

— J'en sais rien, dit Charles.

— Là. Tu vois.

— Mais c'est pas le Panthéon.

C'est que c'est un ostiné, Charles, malgré tout.

— On va demander à un passant, propose Gabriel.

— Les passants, réplique Charles, c'est tous des cons.

— C'est bien vrai, dit Zazie avec sérénité.

Gabriel n'insiste pas. Il découvre un nouveau sujet d'enthousiasme.

— Et ça, s'exclame-t-il, ça c'est...

Mais il a la parole coupée par une euréquation[1] de son beau-frère.

— J'ai trouvé, hurle celui-ci. Le truc qu'on vient de voir, c'était pas le Panthéon bien sûr, c'était la gare de Lyon.

— Peut-être, dit Gabriel avec désinvolture, mais maintenant c'est du passé, n'en parlons plus, tandis que ça, petite, regarde-moi ça si c'est chouette comme architecture, c'est les Invalides...

— T'es tombé sur la tête, dit Charles, ça n'a rien à voir avec les Invalides.

— Eh bien, dit Gabriel, si c'est pas les Invalides, apprends-nous cexé.

— Je sais pas trop, dit Charles, mais c'est tout au plus la caserne de Reuilly.

— Vous, dit Zazie avec indulgence, vous êtes tous les deux des ptits marants.

---

1. Exclamation. Voir *Les mots ont une histoire*, p. 242.

205 — Zazie, déclare Gabriel en prenant un air majestueux trouvé sans peine dans son répertoire, si ça te plaît de voir vraiment les Invalides et le tombeau véritable du vrai Napoléon, je t'y conduirai.

— Napoléon mon cul, réplique Zazie. Il m'intéresse pas du 210 tout, cet enflé, avec son chapeau à la con.

— Qu'est-ce qui t'intéresse alors ?

Zazie répond pas.

— Oui, dit Charles avec une gentillesse inattendue, qu'est-ce qui t'intéresse ?

215 — Le métro.

Gabriel dit : ah. Charles ne dit rien. Puis, Gabriel reprend son discours et dit de nouveau : ah.

— Et quand est-ce qu'elle va finir, cette grève ? demande Zazie en gonflant ses mots de férocité.

220 — Je sais pas, moi, dit Gabriel, je fais pas de politique.

— C'est pas de la politique, dit Charles, c'est pour la croûte[1].

— Et vous, msieu, lui demande Zazie, vous faites quelquefois la grève ?

— Bin dame, faut bien, pour faire monter le tarif.

225 — On devrait plutôt vous le baisser, votre tarif, avec une charrette comme la vôtre, on fait pas plus dégueulasse. Vous l'avez pas trouvée sur les bords de la Marne[2], par hasard ?

---

1. Pour pouvoir manger, donc pour obtenir de meilleurs salaires.

2. Allusion à un épisode célèbre de la Première Guerre mondiale : en 1914, de nombreux taxis parisiens ont transporté des soldats jusqu'au champ de bataille, à cinquante kilomètres de Paris, et ont ainsi contribué à la victoire.

— On est bientôt arrivé, dit Gabriel conciliant. Voilà le tabac du coin.

— De quel coin ? demande Charles ironiquement. _ 230

— Du coin de la rue de chez moi où j'habite, répond Gabriel avec candeur.

— Alors, dit Charles, c'est pas çui-là.

— Comment, dit Gabriel, tu prétendrais que ça ne serait pas celui-là ? _ 235

— Ah non, s'écrie Zazie, vous allez pas recommencer.

— Non, c'est pas celui-là, répond Charles à Gabriel.

— C'est pourtant vrai, dit Gabriel pendant qu'on passe devant le tabac, celui-là j'y suis jamais allé.

— Dis donc, tonton, demande Zazie, quand tu déconnes _ 240 comme ça, tu le fais esprès ou c'est sans le vouloir ?

— C'est pour te faire rire, mon enfant[1], répond Gabriel.

— T'en fais pas, dit Charles à Zazie, il le fait pas exeuprès.

— C'est pas malin, dit Zazie.

— La vérité, dit Charles, c'est que tantôt il le fait exeuprès et _ 245 tantôt pas.

— La vérité ! s'écrie Gabriel (geste), comme si tu savais cexé. Comme si quelqu'un au monde savait cexé. Tout ça (geste), tout ça c'est du bidon : le Panthéon, les Invalides, la caserne de Reuilly, le tabac du coin, tout. Oui, du bidon. _ 250

Il ajoute, accablé :

---

1. Référence au loup du *Petit Chaperon rouge* de Charles Perrault.

— Ah là là, quelle misère !

— Tu veux qu'on s'arrête pour prendre l'apéro ? demande Charles.

255 — C'est une idée.

— À La Cave ?

— À Saint-Germain-des-Prés ? demande Zazie qui déjà frétille.

— Non mais, fillette, dit Gabriel, qu'est-ce que tu t'imagines[1] ? C'est tout ce qu'il y a de plus démodé.

260 — Si tu veux insinuer que je suis pas à la page, dit Zazie, moi je peux te répondre que tu n'es qu'un vieux con.

— Tu entends ça ? dit Gabriel.

— Qu'est-ce que tu veux, dit Charles, c'est la nouvelle génération.

265 — La nouvelle génération, dit Zazie, elle t'…

— Ça va, ça va, dit Gabriel, on a compris. Si on allait au tabac du coin ?

— Du vrai coin, dit Charles.

— Oui, dit Gabriel. Et après tu restes dîner avec nous.

270 — C'était pas entendu ?

— Si.

— Alors ?

— Alors, je confirme.

— Y a pas à confirmer, puisque c'était entendu.

---

1. Référence à une chanson célèbre, entonnée par Juliette Gréco et écrite par… Raymond Queneau lui-même : « Si tu t'imagines ».

— Alors, disons que je te le rappelle des fois que t'aurais oublié. 275

— J'avais pas oublié.

— Tu restes donc dîner avec nous.

— Alors quoi, merde, dit Zazie, on va le boire, ce verre?

Gabriel s'extrait avec habileté et souplesse du tac. Tout le monde se retrouve autour d'une table, sur le trottoir. La serveuse s'amène négligemment. Aussitôt Zazie esprime son désir : 280

— Un cacocalo, qu'elle demande.

— Y en a pas, qu'on répond.

— Ça alors, s'esclame Zazie, c'est un monde. 285

Elle est indignée.

— Pour moi, dit Charles, ça sera un beaujolais.

— Et pour moi, dit Gabriel, un lait-grenadine. Et toi? demande-t-il à Zazie.

— Jl'ai déjà dit : un cacocalo. 290

— Elle a dit qu'y en avait pas.

— C'est hun cacocalo que jveux.

— T'as beau vouloir, dit Gabriel avec une patience estrême, tu vois bien qu'y en a pas.

— Pourquoi que vous en avez pas? demande Zazie à la serveuse. 295

— Ça (geste).

— Un demi panaché Zazie, propose Gabriel, ça ne te dirait rien?

— C'est hun cacocalo que jveux et pas autt chose. 300

Tout le monde devient pensif. La serveuse se gratte une cuisse.

— Y en a à côté, qu'elle finit par dire. Chez l'Italien.

— Alors, dit Charles, il vient ce beaujolais ?

On va le chercher. Gabriel se lève, sans commentaires. Il
305 s'éclipse avec célérité, bientôt revenu avec une bouteille du goulot de laquelle sortent deux pailles. Il pose ça devant Zazie.

— Tiens, petite, dit-il d'une voix généreuse.

Sans mot dire, Zazie prend la bouteille en main et commence à jouer du chalumeau[1].

310 — Là, tu vois, dit Gabriel à son copain, c'était pas difficile. Les enfants, suffit de les comprendre.

1. Boire à la paille.

2

— C'est là, dit Gabriel.

Zazie examine la maison. Elle ne communique pas ses impressions.

— Alors ? demanda Gabriel. Ça ira ?

Zazie fit un signe qui semblait indiquer qu'elle réservait son opinion.

— Moi, dit Charles, je passe voir Turandot, j'ai quelque chose à lui dire.

— Compris, dit Gabriel.

— Qu'est-ce qu'il y a à comprendre ? demanda Zazie.

Charles descendit les cinq marches menant du trottoir au café-restaurant La Cave, poussa la porte et s'avança jusqu'au zinc en bois depuis l'occupation.

— Bonjour, meussieu Charles, dit Mado Ptits-pieds qui était en train de servir un client.

— Bonjour, Mado, répondit Charles sans la regarder.

— C'est elle ? demanda Turandot.

— Gzactement, répondit Charles.

— Elle est plus grande que je croyais.

— Et alors ?

— Ça me plaît pas. Je l'ai dit à Gaby, pas d'histoires dans ma maison.

— Tiens, donne-moi un beaujolais.

Turandot le servit en silence, d'un air méditatif. Charles éclusa son beaujolais, s'essuya les moustaches du revers de la main, puis regarda distraitement dehors. Pour ce faire, il fallait lever la tête et on ne voyait guère que des pieds, des chevilles, des bas de pantalon, parfois, avec de la chance, un chien complet, un basset. Accrochée près du vasistas, une cage hébergeait un perroquet triste. Turandot remplit le verre de Charles et s'en verse une lichée. Mado Ptits-pieds vint se mettre derrière le comptoir, à côté du patron et brise le silence.

— Meussieu Charles, qu'elle dit, vzêtes zun mélancolique.

— Mélancolique mon cul, réplique Charles.

— Eh bien vrai, s'écria Mado Ptits-pieds, vous êtes pas poli aujourd'hui.

— Ça me fait marer, dit Charles d'un air sinistre. C'est comme ça qu'elle cause, la mouflette.

— Je comprends pas, dit Turandot pas à l'aise du tout.

— C'est bien simple, dit Charles. Elle peut pas dire un mot, cette gosse, sans ajouter mon cul après.

— Et elle joint le geste à la parole ? demanda Turandot.

— Pas encore, répondit gravement Charles, mais ça viendra.

— Ah non, gémit Turandot, ah ça non.

Il se prit la tête à deux mains et fit le futile simulacre de se la vouloir arracher. Puis il continua son discours en ces termes :

— Merde de merde, je veux pas dans ma maison d'une petite salope qui dise des cochoncetés comme ça. Je vois ça d'ici, elle va pervertir tout le quartier. D'ici huit jours…

— Elle reste que deux trois jours, dit Charles.

— C'est de trop ! cria Turandot. En deux trois jours, elle aura eu le temps de mettre la main dans la braguette de tous les vieux gâteux qui m'honorent de leur clientèle. Je veux pas d'histoires, tu entends, je veux pas d'histoires.

Le perroquet qui se mordillait un ongle, abaissa son regard et, interrompant sa toilette, il intervint dans la conversation.

— Tu causes, dit Laverdure, tu causes, c'est tout ce que tu sais faire.

— Il a bien raison, dit Charles. Après tout, c'est pas à moi qu'il faut raconter tes histoires.

— Je l'emmerde, dit Gabriel affectueusement, mais je me demande pourquoi tu as été lui répéter les gros mots de la ptite.

— Moi je suis franc, dit Charles. Et puis, tu pourras pas cacher que ta nièce elle est drôlement mal élevée. Réponds-moi, est-ce que tu parlais comme ça quand t'étais gosse ?

— Non, répond Gabriel, mais j'étais pas une petite fille.

— À table, dit doucement Marceline en apportant la soupière. Zazie, crie-t-elle doucement, à table.

Elle se met à verser doucement des contenus de louche dans les assiettes.

— Ah ah, dit Gabriel avec satisfaction, du consommé.

— N'egzagérons rien, dit doucement Marceline.

Zazie vient enfin les rejoindre. Elle s'assied l'œil vide, constatant avec dépit qu'elle a faim.

Après le bouillon, il y avait du boudin noir avec des pommes savoyardes, et puis après du foie gras (que Gabriel ramenait du cabaret, il pouvait pas s'en empêcher, il avait le foie gras aussi bien à droite qu'à gauche), et puis un entremets des plus sucrés, et puis du café réparti par tasses, café bicose Charles et Gabriel tous deux bossaient de nuit. Charles s'en fut tout de suite après la surprise attendue d'une grenadine au kirsch, Gabriel lui son boulot commençait pas avant les onze heures. Il allongea les jambes sous la table et même au-delà et sourit à Zazie raide sur sa chaise.

— Alors, petite, qu'il dit comme ça, comme ça on va se coucher?

— Qui ça «on»? demanda-t-elle.

— Eh bien, toi bien sûr, répondit Gabriel tombant dans le piège. À quelle heure tu te couchais là-bas?

— Ici et là-bas ça fait deux, j'espère.

— Oui, dit Gabriel compréhensif.

— C'est pourquoi qu'on me laisse ici, c'est pour que ça soit pas comme là-bas. Non?

— Oui.

— Tu dis oui comme ça ou bien tu le penses vraiment?

Gabriel se tourna vers Marceline qui souriait :

— Tu vois comment ça raisonne déjà bien une mouflette de cet âge ? On se demande pourquoi c'est la peine de les envoyer à l'école.

— Moi, déclara Zazie, je veux aller à l'école jusqu'à soixante-cinq ans.

— Jusqu'à soixante-cinq ans ? répéta Gabriel un chouïa surpris.

— Oui, dit Zazie, je veux être institutrice.

— Ce n'est pas un mauvais métier, dit doucement Marceline. Y a la retraite.

Elle ajouta ça automatiquement parce qu'elle connaissait bien la langue française.

— Retraite mon cul, dit Zazie. Moi c'est pas pour la retraite que je veux être institutrice.

— Non bien sûr, dit Gabriel, on s'en doute.

— Alors c'est pourquoi ? demanda Zazie.

— Tu vas nous espliquer ça.

— Tu trouverais pas tout seul, hein ?

— Elle est quand même fortiche la jeunesse d'aujourd'hui, dit Gabriel à Marceline.

Et à Zazie :

— Alors ? pourquoi que tu veux l'être, institutrice ?

— Pour faire chier les mômes, répondit Zazie. Ceux qu'auront mon âge dans dix ans, dans vingt ans, dans cinquante ans, dans cent ans, dans mille ans, toujours des gosses à emmerder.

— Eh bien, dit Gabriel.

— Je serai vache comme tout avec elles. Je leur ferai lécher

le parquet. Je leur ferai manger l'éponge du tableau noir. Je
435 leur enfoncerai des compas dans le derrière. Je leur botterai les fesses. Parce que je porterai des bottes. En hiver. Hautes comme ça (geste). Avec des grands éperons pour leur larder la chair du derche[1].

— Tu sais, dit Gabriel avec calme, d'après ce que disent les
440 journaux, c'est pas du tout dans ce sens-là que s'oriente l'éducation moderne. C'est même tout le contraire. On va vers la douceur, la compréhension, la gentillesse. N'est-ce pas, Marceline, qu'on dit ça dans le journal ?

— Oui, répondit doucement Marceline. Mais toi, Zazie, est-ce
445 qu'on t'a brutalisée à l'école ?

— Il aurait pas fallu voir.

— D'ailleurs, dit Gabriel, dans vingt ans, y aura plus d'institutrices : elles seront remplacées par le cinéma, la tévé, l'électronique, des trucs comme ça. C'était aussi écrit dans le journal
450 l'autre jour. N'est-ce pas, Marceline ?

— Oui, répondit doucement Marceline.

Zazie envisagea cet avenir un instant.

— Alors, déclara-t-elle, je serai astronaute.

— Voilà, dit Gabriel approbativement. Voilà, faut être de son
455 temps.

— Oui, continua Zazie, je serai astronaute pour aller faire chier les Martiens.

1. Le postérieur (argot).

Gabriel enthousiasmé se tapa sur les cuisses :

— Elle en a de l'idée, cette petite.

Il était ravi. _ 460

— Elle devrait tout de même aller se coucher, dit doucement Marceline. Tu n'es pas fatiguée ?

— Non, répondit Zazie en bâillant.

— Elle est fatiguée cette petite, reprit doucement Marceline s'adressant à Gabriel, elle devrait aller se coucher. _ 465

— Tu as raison, dit Gabriel qui se mit à concocter une phrase impérative et, si possible, sans réplique.

Avant qu'il eût eu le temps de la formuler, Zazie lui demandait s'ils avaient la tévé.

— Non, dit Gabriel. J'aime mieux le cinémascope, ajouta-t-il _ 470 avec mauvaise foi.

— Alors, tu pourrais m'offrir le cinémascope.

— C'est trop tard, dit Gabriel. Et puis moi, j'ai pas le temps, je prends mon boulot à onze heures.

— On peut se passer de toi, dit Zazie. Ma tante et moi, on ira _ 475 toutes les deux seules.

— Ça me plairait pas, dit Gabriel lentement d'un air féroce.

Il fixa Zazie droit dans les yeux et ajouta méchamment :

— Marceline, elle sort jamais sans moi.

Il poursuivit : _ 480

— Ça, je vais pas te l'espliquer, petite, ce serait trop long.

Zazie détourna son regard et bâilla.

— Je suis fatiguée, dit-elle, je vais aller me coucher.

Elle se leva. Gabriel lui tendit la joue. Elle l'embrassa.

485 — Tu as la peau douce, remarqua-t elle.

Marceline l'accompagne dans sa chambre et Gabriel va chercher une jolie trousse en peau de porc marquée de ses initiales. Il s'installe, se verse un grand verre de grenadine qu'il tempère d'un peu d'eau et commence à se faire les mains ; il adorait ça, 490 il s'y prenait très bien et se préférait à toute manucure. Il se mit à chantonner un refrain obscène, puis, les prouesses des trois orfèvres[1] achevées, il sifflota, pas trop fort pour ne pas réveiller la petite, quelques sonneries de l'ancien temps telles que l'extinction des feux, le salut au drapeau, caporal conconcon, etc.

495 Marceline revient.

— Elle a pas été longue à s'endormir, dit-elle doucement.

Elle s'assoit et se verse un verre de kirsch.

— Un petit ange, commente Gabriel d'un ton neutre.

Il admire l'ongle qu'il vient de terminer, celui de l'auriculaire, 500 et passe à celui de l'annulaire.

— Qu'est-ce qu'on va bien pouvoir en faire de toute la journée ? demande doucement Marceline.

— C'est pas tellement un problème, dit Gabriel. D'abord, je l'emmènerai en haut de la tour Eiffel. Demain après-midi.

505 — Mais demain matin ? demande doucement Marceline.

Gabriel blêmit.

— Surtout, qu'il dit, surtout faudrait pas qu'elle me réveille.

---

1. Référence à une chanson paillarde célèbre, « Les trois orfèvres ».

— Tu vois, dit doucement Marceline. Un problème.

Gabriel prit des airs de plus en plus angoissés.

— Les gosses, ça se lève tôt le matin. Elle va m'empêcher de dormir… de récupérer… Tu me connais. Moi, il faut que je récupère. Mes dix heures de sommeil, c'est essentiel. Pour ma santé. _ 510

Il regarde Marceline.

— T'avais pas pensé à ça ?

Marceline baissa les yeux. _ 515

— J'ai pas voulu t'empêcher de faire ton devoir, dit-elle doucement.

— Je te remercie, dit Gabriel d'un ton grave. Mais qu'est-ce qu'on pourrait bien foutre pour que je l'entende pas le matin.

Ils se mirent à réfléchir. _ 520

— On, dit Gabriel, pourrait lui donner un soporifique pour qu'elle dorme jusqu'à au moins midi ou même mieux jusqu'à son quatre heures. Paraît qu'y a des suppositoires au poil qui permettent d'obtenir ce résultat.

— Pan pan pan, fait discrètement Turandot derrière la porte sur le bois d'icelle[1]. _ 525

— Entrez, dit Gabriel.

Turandot entre accompagné de Laverdure. Il s'assoit sans qu'on l'en prie et pose la cage sur la table. Laverdure regarde la bouteille de grenadine avec une convoitise mémorable. Marceline lui en verse un peu dans son buvoir. Turandot refuse l'offre _ 530

1. Équivalent du pronom « celle-ci », dans un état ancien de la langue française.

(geste). Gabriel qui a terminé le médius attaque l'index. Avec tout ça, on n'a encore rien dit.

Laverdure a gobé sa grenadine. Il s'essuie le bec contre son
535 perchoir, puis prend la parole en ces termes :

— Tu causes, tu causes, c'est tout ce que tu sais faire.

— Je cause mon cul, réplique Turandot vexé.

Gabriel interrompt ses travaux et regarde méchamment le visiteur.

540 — Répète un peu voir ce que t'as dit, qu'il dit.

— J'ai dit, dit Turandot, j'ai dit : je cause mon cul.

— Et qu'est-ce que tu insinues par là[1]? Si j'ose dire.

— J'insinue que la gosse, qu'elle soit ici, ça me plaît pas.

— Que ça te plaise ou que ça neu teu plaiseu pas, tu entends?
545 je m'en fous.

— Pardon. Je t'ai loué ici sans enfants et maintenant t'en as un sans mon autorisation.

— Ton autorisation, tu sais où je me la mets?

— Je sais, je sais, d'ici à ce que tu me déshonores à causer
550 comme ta nièce, y a pas loin.

— C'est pas permis d'être aussi inintelligent que toi, tu sais ce que ça veut dire «inintelligent», espèce de con?

— Ça y est, dit Turandot, ça vient.

---

1. Jeu sur le double sens du verbe insinuer : il signifie «dire sans en avoir l'air», mais aussi «pénétrer dans». Étant donné la partie du corps dont il était question juste avant, Gabriel se sent obligé d'ajouter «si j'ose dire»...

— Tu causes, dit Laverdure, tu causes, c'est tout ce que tu sais faire.

— Ça vient quoi ? demande Gabriel nettement menaçant.

— Tu commences à t'esprimer d'une façon repoussante.

— C'est qu'il commence à m'agacer, dit Gabriel à Marceline.

— T'énerve pas, dit doucement Marceline.

— Je ne veux pas d'une petite salope dans ma maison, dit Turandot avec des intonations pathétiques.

— Je t'emmerde, hurle Gabriel. Tu entends, je t'emmerde.

Il donne un coup de poing sur la table qui se fend à l'endroit habituel. La cage va au tapis suivie dans sa chute par la bouteille de grenadine, le flacon de kirsch, les petits verres, l'attirail manucure, Laverdure se plaint avec brutalité, le sirop coule sur la maroquinerie, Gabriel pousse un cri de désespoir et plonge pour ramasser l'objet pollué. Ce faisant, il fout sa chaise par terre. Une porte s'ouvre.

— Alors quoi, merde, on peut plus dormir ?

Zazie est en pyjama. Elle bâille puis regarde Laverdure avec hostilité.

— C'est une vraie ménagerie ici, qu'elle déclare.

— Tu causes, tu causes, dit Laverdure, c'est tout ce que tu sais faire.

Un peu épatée, elle néglige l'animal pour Turandot, à propos duquel elle demande à son oncle :

— Et çui-là, qui c'est ?

Gabriel essuyait la trousse avec un coin de la nappe.

580 — Merde, qu'il murmure, elle est foutue.

— Je t'en offrirai une autre, dit doucement Marceline.

— C'est gentil ça, dit Gabriel, mais dans ce cas-là, j'aimerais mieux que ce soit pas de la peau de porc.

— Qu'est-ce que tu aimerais mieux? Le box-calf?

585 Gabriel fit la moue.

— Le galuchat?

Moue.

— Le cuir de Russie?

Moue.

590 — Et le croco?

— Ce sera cher.

— Mais c'est solide et chic.

— C'est ça, j'irai me l'acheter moi-même.

Gabriel, souriant largement, se tourna vers Zazie :

595 — Tu vois, ta tante, c'est la gentillesse même.

— Tu m'as toujours pas dit qui c'était çui-là?

— C'est le proprio, répondit Gabriel, un proprio exceptionnel, un pote, le patron du bistro d'en bas.

— De La Cave?

600 — Gzactement, dit Turandot.

— On y danse dans votre cave?

— Ça non, dit Turandot.

— Minable, dit Zazie.

— T'en fais pas pour lui, dit Gabriel, il gagne bien sa vie.

— Mais à Singermindépré, dit Zazie, qu'est-ce qu'il se sucre- _605
rait[1], c'est dans tous les journaux.

— Tu es bien gentille de t'occuper de mes affaires, dit Turandot d'un air supérieur.

— Gentille mon cul, rétorqua Zazie.

Turandot pousse un miaulement de triomphe. _610

— Ah ah, dit-il à Gabriel, tu pourras plus me soutenir le contraire, je l'ai entendu son mon cul.

— Dis donc pas de cochoncetés, dit Gabriel.

— Mais c'est pas moi, dit Turandot, c'est elle.

— Il rapporte, dit Zazie. C'est vilain. _615

— Et puis ça suffit, dit Gabriel. Il est temps que je me tire.

— Ça doit pas être marant d'être gardien de nuit, dit Zazie.

— Aucun métier n'est bien marant, dit Gabriel. Va donc te coucher.

Turandot ramasse la cage et dit : _620

— On reprendra la conversation.

Et il ajoute d'un air fin :

— La conversation mon cul.

— Est-il bête, dit doucement Marceline.

— On peut pas faire mieux, dit Gabriel. _625

— Eh bien, bonne nuit, dit Turandot toujours aimable, j'ai passé une agréable soirée, j'ai pas perdu mon temps.

1. Gagnerait de l'argent (argot).

— Tu causes, tu causes, dit Laverdure, c'est tout ce que tu sais faire.

630 — Il est mignon, dit Zazie en regardant l'animal.

— Va donc te coucher, dit Gabriel.

Zazie sort par une porte, les visiteurs du soir[1] par une autre.

Gabriel attend que tout se soit calmé pour sortir à son tour. Il descend l'escalier sans bruit, en locataire convenable.

635 Mais Marceline a vu un objet qui traîne sur une commode, elle le prend, court ouvrir la porte, se penche pour crier doucement dans l'escalier :

— Gabriel, Gabriel.

— Quoi ? Qu'est-ce qu'il y a ?

640 — Tu as oublié ton rouge à lèvres.

---

1. Allusion au film fantastique de Marcel Carné, sorti en 1942, *Les Visiteurs du soir*.

3

Dans un coin de la pièce, Marceline avait installé une sorte de cabinet de toilette, une table, une cuvette, un broc, tout comme si ç'avait été une cambrousse reculée. Comme ça Zazie serait pas dépaysée. Mais Zazie était dépaysée. Elle pratiquait le bidet fixe vissé dans le plancher et connaissait, pour en avoir usé, mainte autre merveille de l'art sanitaire. Écœurée par ce primitivisme, elle s'humecta, se tamponna un peu d'eau ici et là plus un coup de peigne un seul dans les cheveux.

Elle regarda dans la cour : il ne s'y passait rien. Dans l'appartement de même, il y avait l'air de ne rien se passer. L'oreille plantée dans la porte, Zazie ne distinguait aucun bruit. Elle sortit silencieusement de sa chambre. Le salonsalamanger était oscur et muet. En marchant un pied juste devant l'autre comme quand on tire à celui qui commencera, en palpant le mur et les objets, c'est encore plus amusant en fermant les yeux, elle parvint à l'autre porte qu'elle ouvrit avec des précautions considérables. Cette autre pièce était également oscure et muette, quelqu'un y dormait paisiblement. Zazie referma, se mit en marche arrière, ce qui est toujours amusant, et au bout d'un temps extrêmement

660 long, elle atteignit une troisième et autre porte qu'elle ouvrit avec de non moins grandes précautions que précédemment. Elle se trouva dans l'entrée qu'éclairait péniblement une fenêtre ornée de vitraux rouges et bleus. Encore une porte à ouvrir et Zazie découvre le but de son escursion : les vécés.

665 Comme ils étaient à l'anglaise[1], Zazie reprend pied dans la civilisation pour y passer un bon quart d'heure. Elle trouve l'endroit non seulement utile mais gai. Il est tout propre, ripoliné. Le papier de soie se froisse joyeusement entre les doigts. À ce moment de la journée, il y a même un rayon de soleil : une buée 670 lumineuse descend du vasistas. Zazie réfléchit longuement, elle se demande si elle va tirer la chasse d'eau ou non. Ça va sûrement jeter le désarroi. Elle hésite, se décide, tire, la cataracte coule, Zazie attend mais rien ne semble avoir bougé c'est la maison de la belle au bois dormant. Zazie se rassoit pour se raconter 675 le conte en question en y intercalant des gros plans d'acteurs célèbres. Elle s'égare un peu dans la légende, mais, finalement, récupérant son esprit critique, elle finit par se déclarer que c'est drôlement con les contes de fées et décide de sortir.

De nouveau dans l'entrée, elle repère une autre porte qui vrai-680 semblablement doit donner sur le palier, Zazie tourne la clé laissée par illusoire précaution dans l'entrée de la serrure, c'est bien ça, voilà Zazie sur le palier. Elle referme la porte derrière elle tout doucement, puis tout doucement elle descend. Au premier,

1. Les W-C « à l'anglaise » sont ceux sur lesquels on peut s'asseoir, contrairement aux W-C dits « à la turque ».

elle fait une pause : rien ne bouge. La voilà au rez-de-chaussée; et voici le couloir, la porte de la rue est ouverte, un rectangle de lumière, voilà, Zazie y est, elle est dehors.

C'est une rue tranquille. Les autos y passent si rarement que l'on pourrait jouer à la marelle sur la chaussée. Il y a quelques magasins d'usage courant et de mine provinciale. Des personnes vont et viennent d'un pas raisonnable. Quand elles traversent, elles regardent d'abord à gauche ensuite à droite joignant le civisme à l'eccès de prudence. Zazie n'est pas tout à fait déçue, elle sait qu'elle est bien à Paris, que Paris est un grand village et que tout Paris ne ressemble pas à cette rue. Seulement pour s'en rendre compte et en être tout à fait sûre, il faut aller plus loin. Ce qu'elle commence à faire, d'un air dégagé.

Mais Turandot sort brusquement de son bistro et, du bas des marches, il lui crie :

— Eh petite, où vas-tu comme ça?

Zazie ne lui répond pas, elle se contente d'allonger le pas. Turandot gravit les marches de son escalier :

— Eh petite, qu'il insiste et qu'il continue à crier.

Zazie du coup adopte le pas de gymnastique. Elle prend un virage à la corde. L'autre rue est nettement plus animée. Zazie maintenant court bon train. Personne n'a le temps ni le souci de la regarder. Mais Turandot galope lui aussi. Il fonce même. Il la rattrape, la prend par le bras et, sans mot dire, d'une poigne solide, lui fait faire demi-tour. Zazie n'hésite pas. Elle se met à hurler :

— Au secours ! Au secours !

Ce cri ne manque pas d'attirer l'attention des ménagères et des citoyens présents. Ils abandonnent leurs occupations ou inoccupations personnelles pour s'intéresser à l'incident.

Après ce premier résultat assez satisfaisant, Zazie en remet :

— Je veux pas aller avec le meussieu, je le connais pas le meussieu, je veux pas aller avec le meussieu.

Exétéra[1].

Turandot, sûr de la noblesse de sa cause, fait fi de ces proférations. Il s'aperçoit bien vite qu'il a eu tort en constatant qu'il se trouve au centre d'un cercle de moralistes sévères.

Devant ce public de choix, Zazie passe des considérations générales aux accusations particulières, précises et circonstanciées.

— Ce meussieu, qu'elle dit comme ça, il m'a dit des choses sales.

— Qu'est-ce qu'il t'a dit ? demande une dame alléchée.

— Madame ! s'écrie Turandot, cette petite fille s'est sauvée de chez elle. Je la ramenais à ses parents.

Le cercle ricane avec un scepticisme déjà solidement encré.

La dame insiste ; elle se penche vers Zazie.

— Allons, ma petite, n'aie pas peur, dis-le-moi ce qu'il t'a dit le vilain meussieu ?

— C'est trop sale, murmure Zazie.

— Il t'a demandé de lui faire des choses ?

1. *Et cetera*. Voir *Les mots ont une histoire*, p. 242.

— C'est ça, mdame.

Zazie glisse à voix basse quelques détails dans l'oreille de la bonne femme. Celle-ci se redresse et crache à la figure de Turandot. _735

— Dégueulasse, qu'elle lui jette en plus en prime.

Et elle lui recrache une seconde fois de nouveau dessus, en pleine poire. _740

Un type s'enquiert :

— Qu'est-ce qu'il lui a demandé de lui faire ?

La bonne femme glisse les détails taziques dans l'oreille du type :

— Oh ! qu'il fait le type, jamais j'avais pensé à ça. _745

Il refait comme ça, plutôt pensivement :

— Non, jamais.

Il se tourne vers un autre citoyen :

— Non mais, écoutez-moi ça… (détails). C'est pas croyab.

— Ya vraiment des salauds complets, dit l'autre citoyen. _750

Cependant, les détails se propagent dans la foule. Une femme dit :

— Comprends pas.

Un homme lui esplique. Il sort un bout de papier de sa poche et lui fait un dessin avec un stylo à bille. _755

— Eh bien, dit la femme rêveusement.

Elle ajoute :

— Et c'est pratique ?

Elle parle du stylo à bille.

760 Deux amateurs discutent :

— Moi, déclare l'un, j'ai entendu raconter que… (détails).

— Ça m'étonne pas autrement, réplique l'autre, on m'a bien affirmé que… (détails).

Poussée hors de son souk[1] par la curiosité, une commerçante 765 se livre à quelques confidences :

— Moi qui vous parle, mon mari, un jour voilà-t-il pas qu'il lui prend l'idée de… (détails). Où qu'il avait été dégoter cette passion, ça je vous le demande.

— Il avait peut-être lu un mauvais livre, suggère quelqu'un.

770 — Peut-être bien. En tout cas, moi qui vous cause, je lui ai dit à mon mari, tu veux que ? (détails). Pollop[2], que je lui ai répondu. Va te faire voir par les crouilles[3] si ça te chante et m'emmerde plus avec tes vicelardises. Voilà ce que je lui ai répondu à mon mari qui voulait que je (détails).

775 On approuve à la ronde.

Turandot n'a pas écouté. Il se fait pas d'illusions. Profitant de l'intérêt technique suscité par les accusations de Zazie, il s'est tiré en douce. Il passe le coin de la rue en rasant le mur et rejoint en hâte sa taverne, se glisse derrière le zinc en bois depuis l'occupation, se 780 verse un grand ballon de beaujolais qu'il écluse d'un trait, réitère. Il se tamponne le front avec la chose qui lui sert de mouchoir.

Mado Ptits-pieds qui épluchait des patates lui demande :

1. Terme arabe qui désigne un marché. Ici, c'est une boutique.
2. « Rien à faire ! », « pas moyen ! ».
3. Désignation insultante des personnes originaires du Maghreb. Voir *Les mots ont une histoire*, p. 242.

— Ça va pas ?

— M'en parle pas. Jamais eu une telle trouille de ma vie. Ils me prenaient pour un satyre[1] tous ces cons. Si j'étais resté, ils _785 m'auraient émietté.

— Ça vous apprendra à faire le terre-neuve[2], dit Mado Ptits-pieds.

Turandot répond pas. Il fait fonctionner la petite tévé qu'il a sous le crâne pour revoir à ses actualités personnelles la scène _790 qu'il vient de vivre et qui a failli le faire entrer sinon dans l'histoire, du moins dans la factidiversialité[3]. Il frémit en pensant au sort qu'il a évité. De nouveau la sueur lui coule le long du visage.

— Nondguieu, nondguieu, bégaie-t-il.

— Tu causes, dit Laverdure, tu causes, c'est tout ce que tu sais faire. _795

Turandot s'éponge, se verse un troisième beaujolais.

— Nondguieu, répète-t-il.

C'est l'expression qui lui paraît la mieux appropriée à l'émotion qui le trouble.

— Enfin quoi, dit Mado Ptits-Pieds, vous n'êtes pas mort. _800

— J'aurais voulu t'y voir.

— Ça veut rien dire ça : « j'aurais voulu t'y voir ». Vous et moi, ça fait deux.

— Oh ! discute pas, chsuis pas d'humeur.

— Et vous croyez pas qu'il faudrait avertir les autres ? _805

1. Un pervers. Voir *Les mots ont une histoire*, p. 242.
2. Nom d'une race de chiens réputés pour leur capacité à secourir les personnes en danger.
3. Dans la rubrique des faits divers (néologisme).

C'est vrai, ça, merde, il y avait pas pensé. Il abandonne son troisième verre encore plein et fonce.

— Tiens, dit doucement Marceline un tricot à la main.

— La ptite, dit Turandot assoufflé, la ptite, hein, eh bien, elle
810 s'est barée.

Marceline répond pas, va droit à la chambre. Gzakt. Lagoçamilébou[1].

— Je l'ai vue, dit Turandot, j'ai essayé de la rattraper. Ouatt! (geste).

815 Marceline entre dans la chambre de Gabriel, le secoue, il est lourd, difficile à remuer, encore plus à réveiller, il aime ça, dormir, il souffle et s'agite, quand il dort il dort, on l'en sort pas comme ça.

— Quoi quoi, qu'il finit par crier.

820 — Zazie a foutu le camp, dit doucement Marceline.

Il la regarde. Il fait pas de commentaires. Il comprend vite, Gabriel. Il est pas con. Il se lève. Il va faire un tour dans la chambre de Zazie. Il aime bien se rendre compte des choses par lui-même, Gabriel.

825 — Elle est peut-être enfermée dans les vécés, qu'il dit avec optimisme.

— Non, répond doucement Marceline, Turandot l'a vue qui se barait.

— Qu'est-ce que t'as vu au juste? qu'il demande à Turandot.

1. L'enfant est partie. Voir *Les mots ont une histoire*, p. 242.

— Je l'ai vue qui se barait, alors je l'ai rattrapée et j'ai voulu te la ramener.

— C'est bien ! ça, dit Gabriel, t'es un pote.

— Oui, mais la ptite a ameuté les gens, elle gueulait comme ça que je lui avais proposé de me faire des trucs.

— Et c'était pas vrai ? demande Gabriel.

— Bien sûr que non.

— On sait jamais.

— Dacor, on sait jamais.

— Tu vois bien.

— Laisse-le donc continuer, dit doucement Marceline.

— Alors voilà autour de moi tous les gens qui se rassemblent tout prêts à me casser la gueule. Ils me prenaient pour un satyre les cons.

Gabriel et Marceline s'esclaffent.

— Mais quand j'ai vu à un moment donné qu'ils faisaient plus attention à moi, j'ai filé.

— T'as eu les jetons ?

— Tu parles. Jamais eu une telle trouille de ma vie. Même pendant les bombardements.

— Moi, dit Gabriel, j'ai jamais eu peur pendant les bombardements. Du moment que c'était des Anglais, moi je pensais que leurs bombes c'était pas pour moi mais pour les Fridolins[1] puisque moi je les attendais à bras ouverts les Anglais.

1. Les Allemands (argot).

— C'était un raisonnement stupide, fait remarquer Turandot.

— N'empêche que j'ai jamais eu peur et j'ai même jamais rien reçu sur le coin de la gueule tu vois, même pendant les pires. Les Frisous, eux, ils avaient une pétoche monstre, ils fonçaient dans les abris, les coudocors[1], moi je me marais, je restais dehors à regarder le feu d'artifice, bam en plein dans le mille, un dépôt de munitions qui saute, la gare pulvérisée, l'usine en miettes, la ville qui flambe, un spectacle du tonnerre.

Gabriel conclut et soupire :

— Au fond on avait pas la mauvaise vie.

— Eh bien moi, dit Turandot, la guerre j'ai pas eu à m'en féliciter. Avec le marché noir, je me suis démerdé comme un manche. Je sais pas comment je m'y prenais, mais je dégustais tout le temps des amendes, on me barbotait mes trucs, l'État, le fisc, les contrôles, on me fermait ma boutique, en juin 44 c'est tout juste si j'avais un peu d'or à gauche, et heureusement parce qu'à ce moment-là une bombe arrive, et plus rien. La poisse. Heureusement que j'ai hérité de la baraque ici, sans ça.

— T'as pas à te plaindre en fin de compte, dit Gabriel, tu te la coules douce, c'est un métier de feignant que le tien.

— Je voudrais t'y voir. Éreintant qu'il est mon métier, éreintant, et malsain par-dessus le marché.

— Qu'est-ce que tu dirais alors si tu devais bosser la nuit comme moi. Et dormir le jour. Dormir le jour, c'est excessivement

1. À lire phonétiquement.

fatigant sans xa en ait l'air. Et je parle pas quand on est réveillé à une heure invraisemblable comme aujourd'hui... Je voudrais pas que ça soit comme ça tous les matins. _880

— Faudra l'enfermer à clé cette petite, dit Turandot.

— Je me demande pourquoi elle a foutu le camp, murmura pensivement Gabriel.

— Elle a pas voulu faire de bruit, dit doucement Marceline, alors pour pas te réveiller, elle est allée se promener. _885

— Mais je veux pas qu'elle se promène seule, dit Gabriel, la rue c'est l'école du vice, tout le monde sait ça.

— Elle a ptête fait ce que les journaux appellent une fugue, dit Turandot.

— Ça serait pas drôle, dit Gabriel, faudrait alerter les roussins[1], _890 probab. Alors moi de quoi j'aurais l'air?

— Tu ne crois pas, dit doucement Marceline, que tu devrais essayer de la retrouver?

— Moi, dit Gabriel, moi, je retourne me coucher.

Il s'oriente direction plumard. _895

— Tu ferais que ton devoir en la récupérant, dit Turandot.

Gabriel ricane. Il minaude et imitant la voix de Zazie :

— Devoir mon cul, qu'il déclare.

Il ajoute :

— Elle se retrouvera bien toute seule. _900

1. Les policiers. Voir *Les mots ont une histoire*, p. 242.

— Suppose, dit doucement Marceline, suppose qu'elle tombe sur un satyre ?

— Comme Turandot ? demande Gabriel plaisamment.

— Je trouve pas ça drôle, dit Turandot.

905 — Gabriel, dit doucement Marceline, tu devrais faire un petit effort pour la rattraper.

— Vas-y, toi.

— J'ai ma lessive sur le feu.

— Vous devriez donner votre linge aux trucs automatiques 910 américains, dit Turandot à Marceline, ça vous ferait du travail en moins, c'est comme ça que je fais moi.

— Et, dit Gabriel finement, si ça lui fait plaisir à elle de faire sa lessive elle-même ? Hein ? de quoi que tu te mêles ? tu causes, tu causes, c'est tout ce que tu sais faire. Tes trucs américains je 915 les ai là.

Et il se frappe le derche.

— Tiens, dit Turandot ironiquement, moi qui te croyais américanophile.

— Américanophile ! s'esclame Gabriel, t'emploies des mots 920 dont tu connais pas le sens. Américanophile ! comme si ça empêchait de laver son linge sale en famille. Marceline et moi, non seulement on est américanophiles, mais en plus de ça, petite tête, et en même temps, t'entends ça, petite tête, EN MÊME TEMPS, on est lessivophiles. Hein ? ça te la coupe, ça 925 (pause) petite tête.

Turandot ne trouve rien à répondre. Il revient au problème

concret et présent, à la liquette ninque[1], celle qu'il n'est pas si facile de laver.

— Tu devrais courir après la gamine, qu'il conseille à Gabriel.

— Pour qu'il m'arrive la même chose qu'à toi? pour que je me _930 fasse linnecher[2] par le vulgue homme Pécusse[3]?

Turandot hausse les épaules.

— Toi aussi, qu'il dit d'un ton méprisant, tu causes, tu causes, c'est tout ce que tu sais faire.

— Vas-y donc, dit doucement Marceline à Gabriel. _935

— Vous m'emmerdez tous les deux, ronchonne Gabriel.

Il rentre dans sa chambre, s'habille méthodiquement, passe tristement sa main sur son menton qu'il n'a pas eu le temps d'épiler, soupire, réapparaît.

Turandot et Marceline ou plutôt Marceline et Turandot dis- _940 cutent des mérites ou démérites des machines à laver. Gabriel embrasse Marceline sur le front.

— Adieu, lui dit-il avec gravité, je m'en vais faire mon devoir.

Il serre vigoureusement la main de Turandot; l'émotion qui l'étreint ne lui permet pas de prononcer d'autre mot historique _945 que «je m'en vais faire mon devoir», mais son regard se voile de la mélancolie propre aux individus que guette un grand destin.

Les autres se recueillent.

---

1. Expression latine *hic et nunc*, «ici et maintenant», écrite phonétiquement. Voir *Les mots ont une histoire*, p. 242.
2. Verbe «lyncher», prononcé comme en anglais. Il signifie «exécuter sans jugement».
3. Même jeu qu'avec *hic et nunc*. Le *vulgum pecus* est une expression péjorative qui désigne la foule, le commun des mortels.

Il sort. Il est sorti.

950 Dehors il flaire le vent. Il ne sent que les odeurs habituelles et tout particulièrement celles qui de La Cave émanent. Il ne sait s'il doit aller au nord ou au midi car la rue est ainsi orientée. Mais un appel transvecte[1] ses hésitations. C'est Gridoux le cordonnier qui lui fait signe de son échoppe. Gabriel s'approche.

955 — Vous cherchez la petite fille, je parie.

— Oui, grogne Gabriel sans enthousiasme.

— Je sais où elle est allée.

— Vous savez toujours tout, dit Gabriel avec une certaine mauvaise humeur.

960 Çui-là, qu'il se dit à lui-même avec sa petite voix intérieure, à chaque fois que je cause avec lui, il m'egzagère mon infériorité de complexe.

— Ça vous intéresse pas ? demande Gridoux.

— C'est bien obligé que ça m'intéresse.

965 — Alors jraconte ?

— C'est marant les cordonniers, répond Gabriel, ils arrêtent jamais de travailler, on dirait qu'ils aiment ça, et pour montrer qu'ils arrêtent jamais ils se mettent dans une vitrine pour qu'on les admire. Comme les remmailleuses de bas.

970 — Et vous, réplique Gridoux, dans quoi est-ce que vous vous mettez pour qu'on vous admire ?

Gabriel se gratte la tête.

---

1. Fait partir (latinisme).

— Dans rien, dit-il mollement, moi chsuis un artiste. Je fais rien de mal. Et puis c'est pas le moment de me causer comme ça, ça urge l'histoire de la gosse.

— J'en cause parce que ça me fait plaisir, répond Gridoux avec calme.

Il lève le nez de sur son travail.

— Alors, qu'il demande, sacré bavard de mes deux, vous voulez savoir quèque chose ou rien ?

— Puisque je vous dis que ça urge.

Gridoux sourit.

— Turandot vous a raconté le début ?

— Il a raconté ce qu'il a voulu.

— En tout cas ce qui vous intéresse, c'est ce qui s'est passé ensuite.

— Oui, dit Gabriel, qu'est-ce qui s'est passé ensuite ?

— Ensuite ? Le début vous suffit pas ? C'est une fugue qu'elle est en train de faire cette gosse. Une fugue !

— C'est gai, murmura Gabriel.

— Vous n'avez qu'à prévenir la police.

— Ça me dit rien, dit Gabriel d'une voix très affaiblie.

— Elle rentrera pas toute seule.

— On sait jamais.

Gridoux haussa les épaules.

— Après tout, ce que j'en dis, moi j'm'en fous.

— Et moi donc, dit Gabriel, au fond.

— Vous avez un fond, vous ?

Gabriel à son tour haussa les épaules. Si çui-là se mettait encore en plus à être insolent. Sans mot dire, il retourna chez lui se recoucher.

4

Comme concitoyens et commères continuaient à discuter le coup, Zazie s'éclipsa. Elle prit la première rue à droite, puis la celle à gauche, et ainsi de suite jusqu'à ce qu'elle arrive à l'une des portes de la ville. De superbes gratte-ciel de quatre _ 1005 ou cinq étages bordaient une somptueuse avenue sur le trottoir de laquelle se bousculaient de pouilleux éventaires[1]. Une foule épaisse et mauve dégoulinait d'un peu partout. Une marchande de ballons Lamoricière[2], une musique de manège ajoutaient leur note pudique à la virulence de la démonstration. Émerveillée, _ 1010 Zazie mit quelque temps à s'apercevoir que, non loin d'elle, une œuvre de ferronnerie baroque plantée sur le trottoir se complétait de l'inscription MÉTRO. Oubliant aussitôt le spectacle de la rue, Zazie s'approcha de la bouche, la sienne sèche d'émotion. Contournant à petits pas une balustrade protectrice, elle décou- _ 1015 vrit enfin l'entrée. Mais la grille était tirée. Une ardoise pendante portait à la craie une inscription que Zazie déchiffra sans peine.

---

1. Étalage de marchandises à vendre.
2. Jeu de mots. « Lamoricière » est le nom d'un général qui s'est illustré pendant la conquête de l'Algérie, tandis qu'Albert Lamorisse a réalisé en 1956 un court métrage célèbre : *Le Ballon rouge*.

La grève continuait. Une odeur de poussière ferrugineuse et déshydratée montait doucement de l'abîme interdit. Navrée, Zazie
1020 se mit à pleurer.

Elle y prit un si vif plaisir qu'elle alla s'asseoir sur un banc pour y larmoyer avec plus de confort. Au bout de peu de temps d'ailleurs, elle fut distraite de sa douleur par la perception d'une présence voisine. Elle attendit avec curiosité ce qui allait se pro-
1025 duire. Il se produisit des mots, émis par une voix masculine prenant son fausset, ces mots formant la phrase interrogative que voici :

— Alors, mon enfant, on a un gros chagrin ?

Devant la stupide hypocrisie de cette question, Zazie doubla
1030 le volume de ses larmes. Tant de sanglots semblaient se presser dans sa poitrine qu'elle paraissait ne pas avoir le temps de les étrangler tous.

— C'est si grave que ça ? demanda-t-on.

— Oh voui, msieu.

1035 Décidément, il était temps de voir la gueule qu'avait le satyre. Passant sur son visage une main qui transforma les torrents de pleurs en rus[1] bourbeux, Zazie se tourna vers le type. Elle n'en put croire ses yeux. Il était affublé de grosses bacchantes[2] noires, d'un melon, d'un pébroque[3] et de larges tatanes. C'est pas possib,
1040 se disait Zazie avec sa petite voix intérieure, c'est pas possib, c'est

1. Ruisseaux.
2. Moustaches.
3. Parapluie (argot). Voir *Les mots ont une histoire*, p. 242.

un acteur en vadrouille, un de l'ancien temps. Elle en oubliait de rire.

Lui, fit une sorte de grimace aimable et tendit à l'enfant un mouchoir d'une étonnante propreté. Zazie, s'en étant emparée, y déposa un peu de la crasse humide qui stagnait sur ses joues et complèta cette offrande par une morve copieuse.

— Allons, voyons, disait le type d'un ton encourageant, qu'est-ce qu'il y a ? Tes parents te battent ? Tu as perdu quelque chose et tu as peur qu'ils te grondent ?

Il en faisait des hypothèses. Zazie lui rendit son mouchoir très humidifié. L'autre ne manifesta nul dégoût en remettant cette ordure dans sa fouillouse[1]. Il continuait :

— Il faut tout me dire. N'aie pas peur. Tu peux avoir confiance en moi.

— Pourquoi ? demanda Zazie bredouillante et sournoise.

— Pourquoi ? répéta le type déconcerté.

Il se mit à racler l'asphalte avec son pébroque.

— Oui, dit Zazie, pourquoi que j'aurais confiance en vous ?

— Mais, répondit le type en cessant de gratter le sol, parce que j'aime les enfants. Les petites filles. Et les petits garçons.

— Vous êtes un vieux salaud, oui.

— Absolument pas, déclara le type avec une véhémence qui étonna Zazie.

Profitant de cet avantage, le meussieu lui offrit un cacocalo, là,

1. Poche (argot).

1065 au premier bistro venu, en sous-entendant : en plein jour, devant tout le monde, une proposition bien honnête, quoi.

Ne voulant pas montrer son enthousiasme à l'idée de se taper un cacocalo, Zazie se mit à considérer gravement la foule qui, de l'autre côté de la chaussée, se canalisait entre deux rangées 1070 d'éventaires.

— Qu'est-ce qu'ils foutent tous ces gens ? demanda-t-elle.

— Ils vont à la foire aux puces, dit le type, ou plutôt c'est la foire aux puces qui va-t-à-z-eux, car elle commence là.

— Ah, la foire aux puces, dit Zazie de l'air de quelqu'un qui 1075 veut pas se laisser épater, c'est là où on trouve des ranbrans[1] pour pas cher, ensuite on les revend à un Amerlo et on n'a pas perdu sa journée.

— Y a pas que des ranbrans, dit le type, y a aussi des semelles hygiéniques, de la lavande, des clous et même des vestes qui 1080 n'ont pas été portées.

— Y a aussi des surplus américains[2] ?

— Bien sûr. Et aussi des marchands de frites. Des bonnes. Faites dans la matinée.

— C'est chouette, les surplus américains.

1085 — Si on veut, y a même des moules. Des bonnes. Qu'empoisonnent pas.

— Izont des bloudjinnzes[3], leurs surplus américains ?

1. Des toiles du grand peintre flamand Rembrandt.
2. Stocks de vêtements militaires américains, laissés en Europe à la fin de la guerre pour être revendus à bas prix.
3. Traduction phonétique de la prononciation française de « blue-jeans ».

— Ça fait pas un pli qu'ils en ont. Et des boussoles qui fonctionnent dans l'oscurité.

— Je m'en fous des boussoles, dit Zazie. Mais les bloudjinnzes (silence).

— On peut aller voir, dit le type.

— Et puis après? dit Zazie. J'ai pas un rond pour me les offrir. À moins d'en faucher une paire.

— Allons voir tout de même, dit le type.

Zazie avait fini son cacocalo. Elle regarda le type et lui dit :

— Je vous vois venir avec vos pataugas[1].

Elle ajouta :

— On y va?

Le type paie et ils s'immergent dans la foule. Zazie se faufile, négligeant les graveurs de plaques de vélo, les souffleurs de verre, les démonstrateurs de nœuds de cravate, les Arabes qui proposent des montres, les manouches qui proposent n'importe quoi. Le type est sur ses talons, il est aussi subtil que Zazie. Pour le moment, elle a pas envie de le semer, mais elle se prévient que ce sera pas commode. Y a pas de doute, c'est un spécialiste.

Elle s'arrêta pile devant un achalandage de surplus. Du coup, a boujplu. A boujpludutou. Le type freine sec, juste derrière elle. Le commerçant engage la conversation.

— C'est la boussole qui vous fait envie? qu'il demande avec un aplomb. La torche électrique? le canot pneumatique?

---

1. Chaussures de marche. Référence à l'expression « voir venir quelqu'un avec ses gros sabots » : avoir bien compris les intentions de la personne.

Zazie tremble de désir et d'anxiété, car elle n'est pas du tout sûre que le type ait vraiment des intentions malhonnêtes. Elle ose pas énoncer le mot dissyllabique et anglo-saxon qui voudrait
1115 dire ce qu'elle veut dire. C'est le type qui le prononce.

— Vous auriez pas des bloudjinnzes pour la petite ? qu'il demande au revendeur. C'est bien ça ce qui te plairait ?

— Oh voui, vuvurre[1] Zazie.

— Si j'en ai, des bloudjinnzes, dit le pucier, je veux que j'en ai.
1120 J'en ai même des qui sont positivement inusables.

— Ouais, dit le type, mais vous imaginez bien qu'elle va continuer à grandir. L'année prochaine elle pourra plus les mettre ces trucs, alors qu'est-ce qu'on en fera à ce moment-là ?

— Ce sera pour le ptit frère ou la ptite sœur.

1125 — Elle en a pas.

— D'ici un an, ça peut venir (rire).

— Plaisantez pas avec ça, dit le type d'un air lugubre, sa pauvre mère est morte.

— Oh ! escuses.

1130 Zazie regarde un instant le satyre avec curiosité, avec intérêt même, mais c'est des à-côtés à approfondir plus tard. Intérieurement, elle trépigne, elle y tient plus, elle demande :

— Vous auriez ma taille ?

— Bien sûr, mademoiselle, répond le forain talon-rouge[2].

1135 — Et ça coûte combien ?

---

1. Déformation du verbe « susurrer ». Voir *Les mots ont une histoire*, p. 242.
2. L'expression « talon-rouge » désigne quelqu'un qui a des manières élégantes.

C'est encore Zazie qui a posé cette question-là. Automatiquement. Parce qu'elle est économe mais pas avare. L'autre le dit combien ça coûte. Le type hoche la tête. Il a pas l'air de trouver ça tellement cher. C'est du moins ce que conclut Zazie de son comportement.

— Je pourrais essayer ? qu'elle demande.

Le bazardeur est soufflé : elle se croit chez Fior, cette petite connasse. Il fait un joli sourire à pleines dents pour dire :

— Pas la peine. Regardez-moi çui-la.

Il déploie le vêtement et le suspend devant elle. Zazie fait la moue. Elle aurait voulu essayer.

— Isra pas trop grand ? qu'elle demande encore.

— Regardez ! Il vous ira pas plus bas que le mollet et regardez-moi ça encore s'il est pas étroit, tout juste si vous pourrez entrer dedans, mademoiselle, quoique vous soyez bien mince, c'est pas pour dire.

Zazie en a la gorge sèche. Des bloudjinnzes. Comme ça. Pour sa première sortie parisienne. Ça serait rien chouette.

Le type tout d'un coup prend un air rêveur. On dirait que maintenant il pense plus à ce qui se passe autour de lui.

Le marchand remet ça.

— Vous le regretterez pas, allez, qu'il insiste, c'est inusable, positivement inusable.

— Je vous ai déjà dit que je m'en foutais que ce soit inusable, répond distraitement le type.

— C'est pourtant pas rien l'inusabilité, qu'il insiste le commerçant.

— Mais, dit soudain le type, au fait, à propos, il me semble, si je comprends bien, ça vient des surplus américains, ces bloudjinnzes ?

— Natürlich, qu'il répond le forain.

— Alors, vous pourrez peut-être m'espliquer ça : y avait des mouflettes dans leur armée, aux Amerlos ?

— Y avait de tout, répond le forain pas déconcerté.

Le type sembla pas convaincu.

— Bin quoi, dit le revendeur qui n'a pas envie de louper une vente à cause de l'histoire universelle, faut de tout pour faire une guerre.

— Et ça ? demande le type, ça vaut combien ?

Ce sont des lunettes antisolaires. Il se les chausse.

— C'est en prime pour tout acheteur de bloudjinnzes, dit le colporteur qui voit l'affaire dans le sac.

Zazie en est pas si sûre. Alors quoi, i va pas se décider ? Qu'est-ce qu'il attend ? Qu'est-ce qu'i croit ? Qu'est-ce qu'il veut ? C'est sûrement un sale type, pas un dégoûtant sans défense, mais un vrai sale type. Faut sméfier, faut sméfier, faut sméfier. Mais quoi, les bloudjinnzes…

Enfin, ça y est. Il les paie. La marchandise est emballée et le type met le paquet sous le bras, sous son bras à lui. Zazie, dans son dedans, commence à râler ferme. C'est donc pas encore fini ?

— Et maintenant, dit le type, on va casser une petite graine.

Il marche devant, sûr de lui. Zazie suit, louchant sur le

paquet. Il l'entraîne comme ça jusqu'à un café-restaurant. Ils s'assoient. Le paquet se place sur une chaise, hors de la portée de Zazie. _1190

— Qu'est-ce que tu veux ? demande le type. Des moules ou des frites ?

— Les deux, répond Zazie qui se sent devenir folle de rage.

— Apportez toujours des moules pour la petite, dit le type tranquillement à la serveuse. Pour moi, ce sera un muscadet avec _1195 deux morceaux de sucre.

En attendant la bouffe, on ne dit rien. Le type fume paisiblement. Les moules servies, Zazie se jette dessus, plonge dans la sauce, patauge dans le jus, s'en barbouille. Les lamellibranches[1] qui ont résisté à la cuisson sont forcés dans leur coquille avec une _1200 férocité mérovingienne. Tout juste si la gamine ne croquerait pas dedans. Quand elle a tout liquidé, eh bien, elle ne dit pas non pour ce qui est des frites. Bon, qu'il fait, le type. Lui, il déguste sa mixture à petites lampées, comme si c'était de la chartreuse chaude. On apporte les frites. Elles sont exceptionnellement _1205 bouillantes. Zazie, vorace, se brûle les doigts, mais non la gueule.

Quand tout est terminé, elle descend son demi-panaché d'un seul élan, expulse trois petits rots et se laisse aller sur sa chaise, épuisée. Son visage sur lequel passèrent des ombres quasiment anthropophagiques s'éclaircit. Elle songe avec satisfaction que _1210 c'est toujours ça de pris. Puis elle se demande s'il ne serait pas

1. Les moules. Voir *Les mots ont une histoire*, p. 242.

temps de dire quelque chose d'aimable au type, mais quoi ? Un gros effort lui fait trouver ça.

— Vous en mettez du temps pour écluser votre godet. Papa, lui, il en avalait dix comme ça en autant de temps.

— Il boit beaucoup ton papa ?

— I buvait, qu'il faut dire. Il est mort.

— Tu as été bien triste quand il est mort ?

— Pensez-vous (geste). J'ai pas eu le temps avec tout ce qui se passait (silence).

— Et qu'est-ce qui se passait ?

— Je boirais bien un autre demi, mais pas panaché, un vrai demi de vraie bière.

Le type commande pour elle et demande une petite cuiller. Il veut récupérer ce qui reste de sucre dans le fond du glasse. Pendant qu'il se livre à cette opération, Zazie liche la mousse de son demi, puis elle répond :

— Vous lisez les journaux ?

— Des fois.

— Vous vous souvenez de la couturière de Saint-Montron qu'a fendu le crâne de son mari d'un coup de hache ? Eh bien, c'était maman. Et le mari, naturellement, c'était papa.

— Ah ! dit le type.

— Vous vous en souvenez pas ?

Il n'en a pas l'air très sûr. Zazie est indignée.

— Merde, pourtant, ça a fait assez de foin. Maman avait un avocat venu de Paris esprès, un célèbre, un qui cause pas comme vous et moi, un con, quoi. N'empêche qu'il l'a fait acquitter, comme ça (geste), les doigts dans le nez. Même que les gens izz applaudissaient maman, tout juste s'ils l'ont pas portée en triomphe. On a fait une fameuse foire ce jour-là. Y avait qu'une chose qui chagrinait maman, c'est que le Parisien, l'avocat, il se faisait pas payer avec des rondelles de saucisson. Il a été gourmand, la vache. Heureusement que Georges était là pour un coup.

— Et qui était ce Georges ?

— Un charcutier. Tout rose. Le coquin[1] de maman. C'est lui qui avait refilé la hache (silence) pour couper son bois (léger rire).

Elle s'envoie une petite lampée de bière, avec distinction, tout juste si elle ne lève pas l'auriculaire.

— Et c'est pas tout, qu'elle ajoute, moi, que vous voyez là devant vous, eh bien, j'ai déposé au procès, et à huis clos encore.

Le type ne réagit pas.

— Vous me croyez pas ?

— Bien sûr que non. C'est pas légal un enfant qui dépose contre ses parents.

— D'abord, des parents y en avait plus qu'un, primo, et ensuite vous y connaissez rien. Vous auriez qu'à venir chez nous à Saint-Montron et je vous montrerais un cahier où j'ai collé tous les articles de journaux où il est question de moi. Même

1. Amant (familier).

que Georges, pendant que maman était en tôle, pour mon petit Noël, il m'a abonnée à l'Argus de la Presse[1]. Vous connaissez ça l'Argus de la Presse?

1265 — Non, dit le type.

— Minable. Et ça veut discuter avec moi.

— Pourquoi aurais-tu témoigné à huis clos?

— Ça vous intéresse, hein?

— Pas spécialement.

1270 — Ce que vous pouvez être sournois.

Et elle s'envoie une petite lampée de bière, avec distinction, tout juste si elle ne lève pas l'auriculaire. Le type ne bronche pas (silence).

— Allons, finit par dire Zazie, faut pas bouder comme ça. Je 1275 vais vous la raconter, mon histoire.

— J'écoute.

— Voilà. Faut vous dire que maman pouvait pas blairer papa, alors papa, ça l'avait rendu triste et il s'était mis à picoler. Qu'est-ce qu'il descendait comme litrons. Alors, quand il était 1280 dans ces états-là, fallait se garer de lui, parce que le chat lui-même y aurait passé. Comme dans la chanson[2]. Vous connaissez?

— Je vois, dit le type.

— Tant mieux. Alors je continue : un jour, un dimanche, je rentrais de voir un match de foute, y avait le Stade Sanctimontronais

1. Journal qui analyse l'ensemble des publications de la presse mondiale, pour fournir à ses abonnés des données qui les intéressent : il est destiné aux entrepreneurs bien plus qu'aux fillettes !
2. Référence à la chanson paillarde déjà évoquée avec Gabriel p. 26.

contre l'Étoile-Rouge de Neuflize, en division d'honneur c'est pas rien. Vous vous intéressez au sport, vous? 1285

— Oui. Au catch.

Considérant le gabarit médiocre du bonhomme, Zazie ricane.

— Dans la catégorie spectateurs, qu'elle dit.

— C'est une astuce qui traîne partout, réplique le type froidement. 1290

De rage, Zazie assèche son demi, puis elle la boucle.

— Allons, dit le type, faut pas bouder comme ça. Continue donc ton histoire.

— Elle vous intéresse, mon histoire? 1295

— Oui.

— Alors, vous mentiez tout à l'heure?

— Continue donc.

— Vous énervez pas. Vous seriez plus en état de l'apprécier, mon histoire. 1300

5

Ltipstu et Zazie reprit son discours en ces termes :

— Papa, il était donc tout seul à la maison, tout seul qu'il attendait, il attendait rien de spécial, il attendait tout de même, et il était tout seul, ou plutôt il se croyait tout seul, attendez, vous allez comprendre. Je rentre donc, faut dire qu'il était noir[1] comme une vache, papa, il commence donc à m'embrasser ce qu'était normal puisque c'était mon papa, mais voilà qu'il se met à me faire des papouilles zozées, alors je dis ah non parce que je comprenais où c'est qu'il voulait en arriver le salaud, mais quand je lui ai dit ah non ça jamais, lui il saute sur la porte et il la ferme à clé et il met la clé dans sa poche et il roule les yeux en faisant ah ah ah tout à fait comme au cinéma, c'était du tonnerre. Tu y passeras à la casserole qu'il déclamait, tu y passeras à la casserole, il bavait même un peu quand il proférait ces immondes menaces et finalement immbondit dssus. J'ai pas de mal à l'éviter. Comme il était rétamé, il se fout la gueule par terre. Isrelève. Ircommence à me courser, enfin bref, une vraie corrida. Et voilà qu'il finit

1. Ivre (familier). On trouve plus loin « rétamé », qui a le même sens.

par m'attraper. Et les papouilles zozées de recommencer. Mais, à ce moment, la porte s'ouvre tout doucement, parce qu'il faut vous dire que maman elle lui avait dit comme ça, je sors, je vais _ 1320 acheter des spaghetti et des côtes de porc, mais c'était pas vrai, c'était pour le feinter, elle s'était planquée dans la buanderie où c'est que c'est qu'elle avait garé la hache et elle s'était ramenée en douce et naturellement elle avait avec elle son trousseau de clés. Pas bête la guêpe, hein? _ 1325

— Eh oui, dit le type.

— Alors donc elle ouvre la porte en douce et elle entre tout tranquillement, papa lui il pensait à autre chose le pauvre mec, il faisait pas attention quoi, et c'est comme ça qu'il a eu le crâne fendu. Faut reconnaître, maman elle avait mis la bonne mesure. _ 1330 C'était pas beau à voir. Dégueulasse même. De quoi mdonner des complexes[1]. Et c'est comme ça qu'elle a été acquittée. J'ai eu beau dire que c'était Georges qui lui avait refilé la hache, ça n'a rien fait, ils ont dit que quand on a un mari qu'est un salaud de skalibre, y a qu'une chose à faire, qu'à lbousiller. Jvous ai dit, _ 1335 même qu'on l'a félicitée. Un comble, vous trouvez pas?

— Les gens... dit le type... (geste).

— Après, elle a râlé contre moi, elle m'a dit, sacrée conarde, qu'est-ce que t'avais besoin de raconter cette histoire de hache? Bin quoi jlui ai répondu, c'était pas la vérité? Sacrée connarde, _ 1340

1. Référence au « complexe d'Électre », théorisé par Freud, qui désigne le complexe d'Œdipe au féminin (le désir de l'enfant pour le parent de sexe opposé). Dans la mythologie, la mère d'Électre, Clytemnestre, a tué son mari, le roi Agamemnon.

qu'elle a répété et elle voulait me dérouiller, dans la joie générale. Mais Georges l'a calmée et puis elle était si fière d'avoir été applaudie par des gens qu'elle connaissait pas qu'elle pouvait plus penser à autre chose. Pendant un bout de temps, en tout
1345 cas.

— Et après ? demanda le type.

— Bin après c'est Georges qui s'est mis à tourner autour de moi. Alors maman a dit comme ça qu'elle pouvait tout de même pas les tuer tous quand même, ça finirait par avoir l'air drôle,
1350 alors elle l'a foutu à la porte, elle s'est privée de son jules à cause de moi. C'est pas bien, ça ? C'est pas une bonne mère ?

— Ça oui, dit le type conciliant.

— Seulement, y a pas bien longtemps elle en a retrouvé un autre et c'est ce qui l'a amenée à Paris, elle lui court après, mais
1355 moi, pour pas me laisser seule en proie à tous les satyres, et y en a, et y en a, elle m'a confiée à mon tonton Gabriel. Il paraît qu'avec lui, j'ai rien à craindre.

— Et pourquoi ?

— Ça j'en sais rien. Je suis arrivée seulement hier et j'ai pas eu
1360 le temps de me rendre compte.

— Et qu'est-ce qu'il fait, le tonton Gabriel ?

— Il est veilleur de nuit, il se lève jamais avant midi une heure.

— Et tu t'es tirée pendant qu'il roupillait encore.

— Voilà.

1365 — Et où habites-tu ?

— Par là (geste).

— Et pourquoi pleurais-tu tout à l'heure sur le banc?

Zazie répond pas. Il commence à l'emmerder, ce type.

— Tu es perdue, hein?

Zazie hausse les épaules. C'est vraiment un sale type.

— Tu saurais me dire l'adresse du tonton Gabriel?

Zazie se tient des grands discours avec sa petite voix intérieure : non mais, de quoi je me mêle, qu'est-ce qu'i s'imagine, il l'aura pas volé, ce qui va lui arriver.

Brusquement, elle se lève, s'empare du paquet et se carapate. Elle se jette dans la foule, se glisse entre les gens et les éventaires, file droit devant elle en zigzag, puis vire sec tantôt à droite, tantôt à gauche, elle court puis elle marche, se hâte puis ralentit, reprend le petit trot, fait des tours et des détours.

Elle allait commencer à rire du bonhomme et de la tête qu'il devait faire lorsqu'elle comprit qu'elle se félicitait trop tôt. Quelqu'un marchait à côté d'elle. Pas besoin de lever les yeux pour savoir que c'était le type, cependant elle les leva, on sait jamais, c'en était peut-être un autre, mais non c'était bien le même, il n'avait pas l'air de trouver qu'il se soit passé quoi que ce soit d'anormal, il marchait comme ça, tout tranquillement.

Zazie ne dit rien. Le regard en dessous, elle egzamina le voisinage. On était sorti de la cohue, on se trouvait maintenant dans une rue de moyenne largeur fréquentée par de braves gens avec des têtes de cons, des pères de famille, des retraités, des bonnes femmes qui baladaient leurs mômes, un public en or, quoi. C'est du tout cuit, se dit Zazie avec sa petite voix intérieure. Elle prit sa

respiration et ouvrit la bouche pour pousser son cri de guerre : au satyre ! Mais le type était pas tombé de la dernière pluie. Lui
1395 arrachant le paquet méchamment, il se mit à la secouer en proférant avec énergie les paroles suivantes :

— Tu n'as pas honte, petite voleuse, pendant que j'avais le dos tourné.

Il fit ensuite appel à la foule s'amassant :

1400 — Ah ! les jitrouas[1], rgardez-moi cqu'elle avait voulu mfaucher.

Et il agitait le pacson au-dessus de sa tête.

— Une paire de bloudjinnzes, qu'il gueulait. Une paire de bloudjinnzes qu'elle a voulumfaucher, la mouflette.

1405 — Si c'est pas malheureux, commente une ménagère.

— De la mauvaise graine, dit une autre.

— Saloperie, dit une troisième, on lui a donc jamais appris à cette petite que la propriété, c'était sacré ?

Le type continuait à houspiller la môme.

1410 — Hein, et si je t'emmenais au commissariat ? Hein ? Au commissariat de police ? Tu irais en prison. En prison. Et tu passerais devant le tribunal pour mineurs. Avec la maison de redressement comme conclusion. Car tu serais condamnée. Condamnée au massimum.

1415 Une dame de la haute société qui passait d'aventure dans le coin en direction des bibelots rares daigna s'arrêter. Elle s'enquit

1. Écriture phonétique du sigle « J3 », qui était le code désignant les adolescents sur les tickets de rationnement pendant l'Occupation et jusqu'en 1949.

auprès de la populace de la cause de l'algarade[1] et, lorsque, non sans peine, elle eut compris, elle voulut faire appel aux sentiments d'humanité qui pouvaient peut-être exister chez ce singulier individu, dont le melon, les noires bacchantes et les verres fumés ne semblaient pas étonner les populations.

— Meussieu, lui dit-elle, ayez pitié de cette enfant. Elle n'est pas responsable de la mauvaise éducation que, peut-être, elle reçut. La faim sans doute l'a poussée à commettre cette vilaine action, mais il ne faut pas trop, je dis bien « trop », lui en vouloir. N'avez-vous jamais eu faim (silence), meussieu ?

— Moi, madame, répondit le type avec amertume (au cinéma on fait pas mieux, se disait Zazie), moi ? avoir eu faim ? Mais je suis un enfant de l'Assistance, madame…

La foule se fit frémir d'un murmure de compassion. Le type, profitant de l'effet produit, la fend, cette foule, et entraîne Zazie, en déclamant dans le genre tragique : on verra bien ce qu'ils disent, tes parents.

Puis il se tut un peu plus loin. Ils marchèrent quelques instants en silence et, tout à coup, le type dit :

— Tiens, j'ai oublié mon pébroque au bistro.

Il s'adressait à lui-même et à mi-voix encore, mais Zazie ne fut pas longue à tirer des conclusions de cette remarque. C'était pas un satyre qui se donnait l'apparence d'un faux flic, mais un vrai flic qui se donnait l'apparence d'un faux satyre qui se donne

1. Dispute (argot).

l'apparence d'un vrai flic. La preuve, c'est qu'il avait oublié son pébroque. Ce raisonnement lui paraissant incontestable, Zazie se demanda si ce ne serait pas une astuce savoureuse de confronter le tonton avec un flic, un vrai. Aussi, quand le type eut déclaré
1445 que c'était pas tout ça, où c'est qu'elle habitait, elle lui donna sans hésitation son adresse. L'astuce était effectivement savoureuse : lorsque Gabriel, après avoir ouvert la porte et s'être écrié Zazie, s'entendit annoncer gaîment «tonton, vlà un flic qui veut tparler», s'appuyant contre le mur, il verdit. Il est vrai que ce
1450 pouvait être l'éclairage, il faisait si sombre dans cette entrée, cependant le type prit l'air de rien remarquer, Gabriel lui dit comme ça entrez donc d'une voix déséquilibrée.

Ils entrèrent donc dans la salle à manger et Marceline se jeta sur Zazie en manifestant la plus grande joie de retrouver cette
1455 enfant. Gabriel lui dit : offre donc quelque chose au meussieu, mais l'autre leur signifia qu'il ne voulait rien ingurgiter, c'était pas comme Gabriel qui demanda qu'on lui apportât le litre de grenadine.

De sa propre initiative, le type s'était assis, cependant que
1460 Gabriel se versait une bonne dose de sirop qu'il agrémentait d'un peu d'eau fraîche.

— Vous ne voulez vraiment pas boire quelque chose?

— (geste).

Gabriel s'envoya le réconfortant, posa le verre sur la table et
1465 attendit, l'œil fixe, mais le type n'avait pas l'air de vouloir causer. Zazie et Marceline, debout, les guettaient.

Ça aurait pu durer longtemps.

Finalement, Gabriel trouva quelque chose pour amorcer la conversation.

— Alors, qu'il dit comme ça Gabriel, alors comme ça vous êtes flic? _ 1470

— Jamais de la vie, s'écria l'autre d'un ton cordial, je ne suis qu'un pauvre marchand forain.

— Le crois pas, dit Zazie, c'est un pauvre flic.

— Faudrait s'entendre, dit Gabriel mollement. _ 1475

— La petite plaisante, dit le type avec une bonhomie constante. Je suis connu sous le nom de Pédro-surplus et vous pouvez me voir aux Puces les samedi, dimanche et lundi, distribuant aux populations les menus objets que l'armée amerloquaine[1] laissa traîner derrière elle lors de la libération du territoire. _ 1480

— Et vous les distribuez gratuitement? demanda Gabriel légèrement intéressé.

— Vous voulez rire, dit le type. Je les échange contre de la menue monnaie (silence). Sauf dans le cas présent.

— Qu'est-ce que vous voulez dire? demanda Gabriel. _ 1485

— Je veux dire simplement que la petite (geste) m'a fauché une paire de bloudjinnzes.

— Si c'est que ça, dit Gabriel, elle va vous les rendre.

— Le salaud, dit Zazie, il me les a repris.

— Alors, dit Gabriel au type, de quoi vous vous plaignez? _ 1490

---

1. Américaine. Voir *Les mots ont une histoire*, p. 242.

— Je me plains, c'est tout.

— I sont à moi, les bloudjinnzes, dit Zazie. C'est lui qui mles a fauchés. Oui. Et, en plus de ça, c'est un flic. Méfie-toi, tonton Gabriel.

1495 Gabriel, pas rassuré, se versa un nouveau verre de grenadine.

— C'est pas clair, tout ça, qu'il dit. Si vous êtes un flic, je vois pas pourquoi vous râlez et, si vous en êtes pas un, y a pas de raisons pour que vous me posiez des questions.

1500 — Pardon, dit le type, c'est pas moi qui pose des questions, c'est vous.

— Ça c'est vrai, reconnut Gabriel avec objectivité.

— Ça y est, dit Zazie, i va se laisser faire.

— C'est peut-être à mon tour maintenant de poser des ques-
1505 tions, dit le type.

— Réponds que devant ton avocat, dit Zazie.

— Fous-moi la paix, dit Gabriel. Je sais ce que j'ai à faire.

— I va te faire dire tout ce qu'il voudra.

— Elle me prend pour un idiot, dit Gabriel en s'adressant
1510 au type avec amabilité. C'est les gosses d'aujourd'hui.

— Y a plus de respect pour les anciens, dit le type.

— C'est écœurant d'entendre des conneries comme ça, déclare Zazie qui a son idée. Je préfère m'en aller.

— C'est ça, dit le type. Si les personnes du deuxième sexe
1515 pouvaient se retirer un instant.

— Comment donc, dit Zazie en ricanant.

En sortant de la pièce, elle récupéra discrètement le pacson oublié par le type sur une chaise.

— On vous laisse, dit doucement Marceline en se tirant à son tour. _ 1520

Elle ferme doucement la porte derrière elle.

— Alors, dit le type (silence), c'est comme ça que vous vivez de la prostitution des petites filles ?

Gabriel fait semblant de se dresser pour un geste de théâtrale protestation, mais se ratatine aussitôt. _ 1525

— Moi, msieu ? murmure-t-il.

— Oui ! réplique le type, oui, vous. Vous n'allez pas me soutenir le contraire ?

— Si, msieu.

— Vous en avez du culot. Flagrant délit. Cette petite faisait le _ 1530 tapin au marché aux puces. J'espère au moins que vous la vendez pas aux Arabes[1].

— Ça jamais, msieu.

— Ni aux Polonais ?

— Non pus, msieu. _ 1535

— Seulement aux Français et aux touristes fortunés ?

— Seulement rien du tout.

La grenadine commence à faire son effet. Gabriel récupérait.

— Alors vous niez ? demanda le type.

— Et comment. _ 1540

1. Queneau se moque ici des discours racistes : comme s'il existait un degré d'acceptabilité dans la prostitution d'un enfant !

Le type sourit diaboliquement, comme au cinéma.

— Et dites-moi, mon gaillard, qu'il susurre, quel est votre métier ou votre profession derrière lequel ou laquelle vous cachez vos activités délictueuses[1].

1545 — Je vous répète que je n'ai pas d'activités délictueuses.

— Pas d'histoires. Profession ?

— Artiste.

— Vous ? un artiste ? La petite m'a dit que vous étiez veilleur de nuit.

1550 — Elle y connaît rien. Et puis on dit pas toujours la vérité aux enfants. Pas vrai ?

— À moi, on la dit.

— Mais vous n'êtes pas un enfant (sourire aimable). Une grenadine ?

1555 — (geste).

Gabriel se sert un autre verre de grenadine.

— Alors, reprend le type, quelle espèce d'artiste ?

Gabriel baisse modestement les yeux.

— Danseuse de charme, qu'il répond.

1. Illégales.

6

— Qu'est-ce qu'ils se racontent ? demanda Zazie en finissant d'enfiler les bloudjinnzes.

— Ils parlent trop bas, dit doucement Marceline l'oreille appuyée contre la porte de la chambre. Je n'arrive pas à comprendre.

Elle mentait doucement la Marceline, car elle entendait fort bien le type qui disait comme ça : Alors c'est pour ça, parce que vous êtes une pédale, que la mère vous a confié cette enfant ? et Gabriel répondait : Mais puisque je vous dis que j'en suis pas. D'accord, je fais mon numéro habillé en femme dans une boîte de tantes mais ça veut rien dire. C'est juste pour faire marer le monde. Vous comprenez, à cause de ma haute taille, ils se fendent la pipe. Mais moi, personnellement, j'en suis pas. La preuve c'est que je suis marié.

Zazie se regardait dans la glace en salivant d'admiration. Pour aller bien ça on pouvait dire que les bloudjinnzes lui allaient bien. Elle passa ses mains sur ses petites fesses moulées à souhait et perfection mêlés et soupira profondément, grandement satisfaite.

— T'entends vraiment rien? elle demande. Rien de rien?

1580 — Non, répondit doucement Marceline toujours aussi menteuse car le type disait : Ça veut rien dire. En tout cas vous allez pas nier que c'est parce que la mère vous considère comme une tante qu'elle vous a confié l'enfant; et Gabriel devait bien le reconnaître. Iadssa, iadssa, qu'il concédait.

1585 — Comment tu me trouves? dit Zazie. C'est pas chouette?

Marceline, cessant d'écouter, la considéra.

— Les filles s'habillent comme ça maintenant, dit-elle doucement.

— Ça te plaît pas?

1590 — Si donc. Mais, dis-moi, tu es sûre que le bonhomme ne dira rien que tu lui aies pris son paquet?

— Puisque je te répète qu'ils sont à moi. Il va en faire un nez quand il va me voir avec.

— Parce que tu as l'intention de te montrer avant qu'il soit

1595 parti?

— Je veux, dit Zazie. Je vais pas rester à moisir ici.

Elle traversa la pièce pour aller coller une oreille contre la lourde[1]. Elle entendit le type qui disait : Tiens où donc j'ai mis mon pacson.

1600 — Dis donc, tata Marceline, dit Zazie, tu te fous de moi ou bien t'es vraiment sourdingue? On entend très bien ce qu'ils se racontent.

---

1. La porte (argot).

— Eh bien, qu'est-ce qu'ils se racontent ?

Renonçant pour le moment à approfondir la question de la surdité éventuelle de sa tante, Zazie plongea de nouveau son étiquette[1] dans le bois de la porte. Le type disait comme ça : Ah ça, i faudrait voir, j'espère que la petite me l'a pas fauché mon pacson. Et Gabriel suggérait : vous l'aviez peut-être pas avec vous. Si, disait le type, si la môme me l'a fauché, ça va barder un brin.

— Qu'est-ce qu'il peut râler, dit Zazie.

— Il ne s'en va pas ? demanda doucement Marceline.

— Non, dit Zazie. Vlà maintenant qu'il entreprend le tonton sur ton compte.

Après tout, disait le type, c'est peut-être vott dame qui me l'a fauché, mon pacson. Elle a peut-être envie de porter des bloudjinnzes elle aussi, vott dame. Ça sûrement non, disait Gabriel, sûrement pas. Qu'est-ce que vous en savez ? répliquait le type, l'idée peut lui en être venue avec un mari qui a des façons d'hormosessuel.

— Qu'est-ce que c'est un hormosessuel ? demanda Zazie.

— C'est un homme qui met des bloudjinnzes, dit doucement Marceline.

— Tu me racontes des blagues, dit Zazie.

— Gabriel devrait le mettre à la porte, dit doucement Marceline.

1. Oreille (argot).

— Ça c'est une riche idée, Zazie dit.

Puis, méfiante :

— Il serait chiche de le faire ?

1630 — Tu vas voir.

— Attends, je vais entrer la première.

Elle ouvrit la porte et, d'une voix forte et claire, prononça les mots suivants :

— Alors, tonton Gabriel, comment trouves-tu mes blou-
1635 djinnzes ?

— Veux-tu vite enlever ça, s'écria Gabriel épouvanté, et les rendre au meussieu tout de suite.

— Les rendre mon cul, déclara Zazie. Y a pas de raisons. Ils sont à moi.

1640 — J'en suis pas bien sûr, dit Gabriel embêté.

— Oui, dit le type, enlève ça et au trot.

— Fous-le donc à la porte, dit Zazie à Gabriel.

— T'en as de bonnes, dit Gabriel. Tu me préviens que c'est un flic et ensuite tu voudrais que je tape dessus.

1645 — C'est pas parce que c'est un flic qu'i faut en avoir peur, dit Zazie avec grandiloquence. C'est hun dégueulasse qui m'a fait des propositions sales, alors on ira devant les juges tout flic qu'il est, et les juges, je les connais moi, ils aiment les petites filles, alors le flic dégueulasse, il sera condamné à mort et guillotiné et
1650 moi j'irai chercher sa tête dans le panier de son et je lui cracherai sur sa sale gueule, na.

Gabriel fermit[1] les yeux en frémissant à l'évocation de ces atrocités. Il se tournit vers le type :

— Vous entendez, qu'il lui dit. Vous avez bien réfléchi ? C'est terrible, vous savez les gosses. _ 1655

— Tonton Gabriel, s'écria Zazie, je te jure que c'est hà moi les bloudjinnzes. Faut mdéfendre, tonton Gabriel. Faut mdéfendre. Qu'est-ce qu'elle dira ma moman si elle apprenait que tu me laisses insulter par un galapiat, un gougnafier et peut-être même un conducteur du dimanche. _ 1660

— Merde, ajouta-t-elle pour son compte avec sa petite voix intérieure, chsuis aussi bonne que Michèle Morgan dans *La Dame aux camélias*[2].

Effectivement touché par le pathétique de cette invocation, Gabriel manifesta son embarras en ces termes mesurés qu'il _ 1665 prononça médza votché et pour ainsi dire quasiment in petto[3] :

— C'est tout de même embêtant de se mettre à dos un bourin[4].

Le type ricane.

— Ce que vous pouvez avoir l'esprit mal tourné, dit Gabriel en rougissant. _ 1670

— Non mais, vous voyez pas tout ce qui vous pend au nez ? dit le type avec un air de plus en plus vachement méphistophélique :

1. Passé simple erroné !
2. Zazie se trompe d'actrice : dans le film *La Dame aux camélias*, sorti en 1953, c'est Micheline Presle qui tenait le rôle-titre.
3. Deux expressions empruntées à l'italien : *mezza voce* est un terme musical qui veut dire « à mi-voix », tandis que *in petto* signifie « en secret ».
4. Policier (argot).

prossénétisme, entôlage, hormosessualité, éonisme[1], hypospadie balanique[2], tout ça va bien chercher dans les dix ans de travaux
1675 forcés.

Puis il se tourne vers Marceline :

— Et madame? On aimerait avoir aussi quelques renseignements sur madame.

— Lesquels? demanda doucement Marceline.

1680 — Faut parler que devant ton avocat, dit Zazie. Tonton a pas voulu m'écouter, tu vois comme il est emmerdé maintenant.

— Tu vas te taire? dit le type à Zazie. Oui, reprend-il, madame pourrait-elle me dire quelle profession elle exerce?

— Ménagère, répond Gabriel avec férocité.

1685 — En quoi ça consiste? demande ironiquement le type.

Gabriel se tourne vers Zazie et lui cligne de l'œil pour que la petite se prépare à savourer ce qui va suivre.

— En quoi ça consiste? dit-il anaphoriquement. Par exemple, à vider les ordures.

1690 Il saisit le type par le col de son veston, le tire sur le palier et le projette vers les régions inférieures[3].

Ça fait du bruit : un bruit feutré.

Le bada[4] suit le même chemin. Il fait moins de bruit quoiqu'il soit melon.

---

1. Néologisme qui renvoie à l'idée de travestissement. Voir *Les mots ont une histoire*, p. 242.
2. Nom médical d'une malformation congénitale de l'organe sexuel masculin. Voir *Les mots ont une histoire*, p. 242.
3. À l'étage inférieur, ici. Dans la Bible, les « régions inférieures » désignent le monde des morts.
4. Chapeau (argot).

— Formi, s'esclama Zazie enthousiasmée cependant qu'en bas le type se ramassait et remettait en place sa moustache et ses lunettes noires. _ 1695

— Ça sera quoi ? lui demanda Turandot.

— Un remontant, répondit le type avec à-propos.

— C'est qu'il y a des tas de marques. _ 1700

— M'est égal.

Il alla s'asseoir dans le fond.

— Qu'est-ce que je pourrais bien lui donner, rumine Turandot. Un fernet-branca ?

— C'est pas buvable, dit Charles. _ 1705

— Tu n'y as peut-être jamais goûté. C'est pas si mauvais que ça et c'est fameux pour l'estomac. Tu devrais essayer.

— Fais voir un petit fond de verre, dit Charles conciliant.

Turandot le sert largement.

Charles trempe ses lèvres, émet un petit bruit de clapotis qu'il shunte, remet ça, déguste pensivement en agitant les lèvres, avale la gorgée, passe à une autre. _ 1710

— Alors ? demande Turandot.

— C'est pas sale.

— Encore un peu ? _ 1715

Turandot emplit de nouveau le verre et remet la bouteille sur l'étagère. Il fouine encore et découvre autre chose.

— Y a aussi l'eau d'arquebuse[1], qu'il dit.

---

1. Jeu de mots : « l'eau d'arquebuse » désignait un alcool censé guérir un soldat blessé par l'arme nommée « arquebuse ». D'où la réplique suivante sur « l'eau atomique », pour guérir des blessures causées par les armes modernes.

— C'est démodé ça. De nos jours, ce qu'il faudrait, c'est de
1720 l'eau atomique.

Cette évocation de l'histoire universelle fait se marer tout le monde.

— Eh bien, s'écrie Gabriel, en entrant dans le bistro à toute vapeur, eh bien vous vous embêtez pas dans l'établissement.
1725 C'est pas comme moi. Quelle histoire. Sers-moi une grenadine bien tassée, pas beaucoup de bouillon, j'ai besoin d'un remontant. Si vous saviez par où je viens de passer.

— Tu nous raconteras ça tout à l'heure, dit Turandot un peu gêné.

1730 — Tiens bonjour toi, dit à Charles Gabriel. Tu restes déjeuner avec nous ?

— C'était pas entendu ?

— Jte lrappelle, simplement.

— Y a pas à me lrappeler. Jl'avais pas oublié.

1735 — Alors disons que je te confirme mon invitation.

— Ya pas à mla confirmer puisque c'était d'accord.

— Tu restes donc déjeuner avec nous, conclut Gabriel qui voulait avoir le dernier mot.

— Tu causes tu causes, dit Laverdure, c'est tout ce que tu sais
1740 faire.

— Bois donc, dit Turandot à Gabriel.

Gabriel suit ce conseil.

— (soupir) Quelle histoire. Vous avez vu Zazie revenir accompagnée par un type ?

— Vvui, vuvurrèrent Turandot et Mado Ptits-pieds avec discrétion. _ 1745

— Moi chsuis arrivé après, dit Charles.

— Au fait, dit Gabriel, vous l'avez pas vu rpasser, le gars ?

— Tu sais, dit Turandot, j'ai pas eu le temps de bien le dévisager, alors je ne suis pas tout à fait sûr de le reconnaître, mais _ 1750 c'est peut-être bien le type qu'est assis derrière toi dans le fond.

Gabriel se retourna. Le type était là sur une chaise, attendant patiemment son remontant.

— Nondguieu, dit Turandot, c'est vrai, escuses, je vous avais oublié. _ 1755

— De rien, dit poliment le type.

— Qu'est-ce que vous diriez d'un fernet-branca ?

— Si c'est ça ce que vous me conseillez.

À ce moment, Gabriel, verdâtre, se laisse glisser mollement sur le plancher. _ 1760

— Ça fera deux fernet-branca, dit Charles en ramassant le copain au passage.

— Deux fernet-branca, deux, répond mécaniquement Turandot.

Rendu nerveux par les événements, il n'arrive pas à remplir les _ 1765 verres, sa main tremble, il en fout à côté des flaques brunâtres qui émettent des pseudopodes[1] qui vont s'en allant souiller le bar en bois depuis l'occupation.

---

1. Terme scientifique désignant des ramifications en forme de pied dans les cellules vivantes. Ici, c'est tout simplement la flaque de l'alcool versé par Turandot qui s'étale sur le bar.

— Donnez-moi donc ça, dit Mado Ptits-pieds en arrachant la
1770 bouteille des mains de l'ému patron.

Turandot s'éponge le front. Le type suppe paisiblement son remontant enfin servi. Pinçant le nez de Gabriel, Charles lui verse le liquide entre les dents. Ça dégouline un peu le long des commissures labiales. Gabriel s'ébroue.

1775 — Sacrée cloche, lui dit Charles affectueusement.

— Petite nature, remarque le type requinqué.

— Faut pas dire ça, dit Turandot. Il a fait ses preuves. Pendant la guerre.

— Qu'est-ce qu'il a fait ? demande l'autre négligemment.

1780 — L'esstéo[1], répond l'aubergiste en versant à la ronde de nouvelles doses de fernet.

— Ah ! fait le type avec indifférence.

— Vous vous souvenez ptêtt pas, dit Turandot. Scon oublie vite, tout dmême. Le travail obligatoire. En Allemagne. Vous
1785 vous souvenez pas ?

— Ça prouve pas forcément une forte nature, remarque le type.

— Et les bombes, dit Turandot. Vous les avez oubliées, les bombes ?

1790 — Et qu'est-ce qu'il faisait des bombes, votre costaud ? Il les recevait dans ses bras pour qu'elles éclatent pas ?

1. Écriture phonétique pour le STO : Service du travail obligatoire. C'était l'enrôlement obligatoire des jeunes hommes français pendant l'Occupation ; ils partaient travailler dans les usines d'armement allemandes.

— Elle est pas drôle votre astuce, dit Charles qui commence à s'énerver.

— Vous disputez pas, murmure Gabriel qui reprend contact avec le paysage. _ 1795

D'un pas un peu trop hésitant pour être vrai, il va s'effondrer devant une table qui se trouve être celle du type. Gabriel sort un petit drap mauve de sa poche et s'en tapote le visage, embaumant le bistro d'ambre lunaire et de musc argenté.

— Pouah, fait le type. Elle empeste vott lingerie. _ 1800

— Vous allez pas recommencer à m'emmerder ? demande Gabriel en prenant un air douloureux. Il vient pourtant de chez Fior, ce parfum.

— Faut comprendre les gens, lui dit Charles. Y a des croquants qui n'aiment pas squi est raffiné. _ 1805

— Raffiné, vous me faites rire, dit le type, on a raffiné ça dans une raffinerie de caca, oui.

— Vous croyez pas si bien dire, s'esclama Gabriel joyeusement. Il paraît qu'il y en a une goutte dans les produits des meilleures firmes.

— Même dans l'eau de cologne ? demande Turandot qui s'ap- _ 1810 proche timidement de ce groupe choisi.

— Ce que tu peux être lourd, toi alors, dit Charles. Tu vois donc pas que Gabriel répète n'importe quelle connerie sans la comprendre, suffit qu'il l'ait entendue une fois.

— Faut bien les entendre pour les répéter, rétorqua Gabriel. _ 1815 As-tu jamais été foutu de sortir une connerie que t'aurais trouvée à toi tout seul ?

— Faut pas egzagérer, dit le type.

— Egzagérer quoi? demande Charles.

1820 Le type, lui, s'énerve pas.

— Vous ne dites jamais de conneries? qu'il demande insidieusement.

— Il se les réserve pour lui tout seul, dit Charles aux deux autres. C'est un prétentiard.

1825 — Tout ça, dit Turandot, c'est pas clair.

— D'où c'est qu'on est parti? demande Gabriel.

— Jte disais que tu n'es pas capable de trouver tout seul toutes les conneries que tu peux sortir, dit Charles.

— Quelles conneries que j'ai sorties?

1830 — Je sais plus. T'en produis tellement.

— Alors dans ce cas-là, tu ne devrais pas avoir de mal à m'en citer une.

— Moi, dit Turandot qu'était plus dans le coup, je vous laisse à vos dissertations. Le monde se ramène.

1835 Les midineurs[1] arrivaient, d'aucuns avec leur gamelle. On entendit Laverdure qui poussait son tu causes tu causes c'est tout ce que tu sais faire.

— Oui, dit Gabriel pensivement, de quoi qu'on causait?

— De rien, répondit le type. De rien.

1840 Gabriel le regarda d'un air dégoûté.

— Alors, qu'il dit. Alors qu'est-ce que je fous ici?

1. Mot-valise inventé par Queneau : midi + dîneurs, désigne ceux qui viennent manger à midi.

— T'es venu mchercher, dit Charles. Tu te souviens? Je déjeune chez toi et après on emmène la petite à la tour Eiffel.

— Alors gy[1].

Gabriel se leva et, suivi de Charles, s'en fut, ne saluant point le type. — 1845

Le type appela (geste) Mado Ptits-pieds.

— Pendant que j'y suis, qu'il dit, je reste déjeuner.

Dans l'escalier Gabriel s'arrêta pour demander au pote Charles : — 1850

— Tu crois pas que ç'aurait été poli de l'inviter?

1. Allons-y.

7

Gridoux déjeunait sur place, ça lui évitait de rater un client, s'il s'en présentait un ; il est vrai qu'à cette heure-là il n'en survenait jamais. Déjeuner sur place présentait donc un double avantage puisque comme nul client n'apparaissait asteure, Gridoux pouvait casser la graine en toute tranquillité. Cette graine était en général une assiette de hachis parmentier fumant que Mado Ptits-pieds lui apportait après le coup de feu, à l'environ d'une heure.

— Je croyais que c'était des tripes aujourd'hui, dit Gridoux en plongeant pour attraper son litron de rouge planqué dans un coin.

Mado Ptits-pieds haussa les épaules. Tripes ? Mythe ! Et Gridoux le savait bien.

— Et le type ? demanda Gridoux, qu'est-ce qu'il branle ?

— I finit de croûter. I parle pas.

— Il pose pas de questions ?

— Rien.

— Et Turandot, il lui cause pas ?

— Il ose pas.

— Il est pas curieux.

— C'est pas qu'il est pas curieux, mais il ose pas.

— Ouais.

Gridoux se mit à attaquer sa pâtée dont la température avait baissé jusqu'à un degré raisonnable.

— Après ? demanda Mado Ptits-pieds, ce sera quoi ? Du brie ? du camembert ?

— Il est beau le brie ?

— Il va pas très vite.

— Alors de l'autre.

Comme Mado Ptits-pieds s'éloignait, Gridoux lui demanda :

— Et lui ? qu'est-ce qu'il a croûté ?

— Comme vous. Gzactement.

Elle courut pour faire les dix mètres qui séparaient l'échoppe de La Cave. Elle répondrait plus amplement tout à l'heure. Gridoux jugeait en effet le renseignement fourni nettement insuffisant, cependant il semble en nourrir sa méditation jusqu'à la présentation d'un fromage morose par la servante revenue.

— Alors ? demanda Gridoux. Le type ?

— Il termine son café.

— Et qu'est-ce qu'il raconte ?

— Toujours rien.

— Il a bien mangé ? De bon appétit ?

— Plutôt. Il peine pas sur la nourriture.

— Qu'est-ce qu'il a pris pour commencer ? La belle sardine ou la salade de tomates ?

— Comme vous que jvous dis, gzactement comme vous. Il a rien pris pour commencer.

— Et comme boisson ?

— Du rouge.

— Un quart ? une demie ?

— Une demie. Il l'a vidée.

— Ah ah ! fit Gridoux nettement intéressé.

Avant d'attaquer le frome, d'un habile mouvement de succion, il s'extirpa pensivement des filaments de bœuf coincés en plusieurs endroits parmi sa dentition.

— Et du côté vécés ? demanda-t-il encore. Il n'est pas allé aux vécés ?

— Non.

— Pas même pour pisser ?

— Non.

— Pas même pour se laver les pognes ?

— Non.

— Quelle gueule il fait maintenant ?

— Aucune.

Gridoux entame une vaste tartine de frome qu'il a méthodiquement préparée, en refoulant la croûte vers l'extrémité la plus lointaine, réservant ainsi le meilleur pour la fin.

Mado Ptits-pieds le regarde faire, l'air distrait, plus pressée du tout, et pourtant le service est pas fini, y a des clients qui doivent réclamer leur addition, le type peut-être par exemple. Elle s'appuya contre l'échoppe et, profitant de ce que Gridoux bouffant ne pouvait discourir, elle aborda ses problèmes personnels.

— C'est un type sérieux, qu'elle dit. Un homme qu'a un métier. Un bon métier, car c'est bon, le taxi, pas vrai? _ 1925

— (geste).

— Pas trop vieux. Pas trop jeune. Bonne santé. Costaud. Sûrement des éconocroques. Il a tout pour lui, Charles. Y a qu'une chose : il est trop romantique. _ 1930

— Ça, reconnut Gridoux entre deux déglutitions.

— Ce qu'il peut m'agacer quand je le vois en train de décortiquer un courrier du cœur ou la ptite correspondance d'un canard pour dames. Comment que vous pouvez croire, que je lui dis, comment vous pouvez croire que vous allez trouver là-ddans l'oiseau rêvé? S'il était si bien xa l'oiseau, il saurait se faire dénicher tout seul, pas vrai? _ 1935

— (geste).

Gridoux en est à sa dernière déglutition. Il a fini sa tartine, il écluse posément un verre de vin, range sa bouteille. _ 1940

— Et Charles? qu'il demande, qu'est-ce qu'il répond à ça?

— Il répond des trucs pas sérieux comme : et ton oiseau à toi, tu te l'es fait dénicher souvent? Des blagues, quoi (soupir). I veut pas mcomprendre.

— Faut te déclarer. _ 1945

— J'y ai bien pensé, mais ça se présente jamais bien. Par exemple je le rencontre quelquefois dans l'escalier. Alors on tire

un coup, sur les marches du palais[1]. Seulement à ce moment-là je peux pas lui parler comme il faut, j'ai pas l'esprit à ça (silence)
1950 — à lui parler comme i faut (silence). Faudrait que je l'invite un soir à dîner. Vous croyez qu'il accepterait?

— En tout cas ça serait pas gentil de sa part de refuser.

— Bin voilà, c'est qu'il est pas toujours gentil, Charles.

Gridoux fit un geste de contestation. Sur le pas de sa porte, le
1955 patron criait : Mado!

— On arrive! répondit-elle avec la force voulue pour que ses paroles fendissent l'air avec la vitesse et l'intensité souhaitées. En tout cas, ajouta-t-elle pour Gridoux sur un ton plus modéré, ce que je me demande, c'est dans son idée ce qu'elle aurait de
1960 mieux que moi la gonzesse qu'il trouverait par le journal : le baba[2] en or ou quoi?

Un nouveau hululement de Turandot ne lui permit pas d'émettre d'autres hypothèses. Elle emmène la vaisselle et Gridoux se retrouve tout seul avec ses godasses et la rue. Il
1965 recommence pas tout de suite à travailler. Il roule lentement l'une de ses cinq cigarettes de la journée et il se met à fumer posément. On pourrait presque dire qu'il semblerait qu'il a l'air de réfléchir à quelque chose. Quand la cigarette est à peu près terminée, il éteint le mégot et le range soigneusement dans une
1970 boîte de Valdas[3], une habitude de l'occupation[4]. Puis quelqu'un

1. Allusion à la chanson populaire *Aux marches du palais*.
2. Postérieur (argot). Voir *Les mots ont une histoire*, p. 242.
3. Marque célèbre de pastilles pour la gorge.
4. Le tabac était rare pendant l'Occupation.

lui demande vous n'auriez pas un lacet de soulier par hasard je viens de péter le mien. Gridoux lève les yeux et il l'aurait parié, c'est le type et qui continue de la sorte :

— Y a rien de plus agaçant, pas vrai ?

— Je ne sais pas, répond Gridoux. 1975

— Des jaunes qu'il m'en faut. Des marrons si vous préférez, pas des noirs.

— Je vais voir ce que j'ai, dit Gridoux. Je vous garantis pas que j'en ai de toutes les couleurs que vous me demandez.

Il bouge pas et se contente de regarder son interlocuteur. 1980 Celui-ci fait semblant de ne pas s'en apercevoir.

— C'est tout de même pas des irisés que je veux.

— Des quoi ?

— Des couleur d'arc-en-ciel.

— Ceux-là, ils me manquent pour le moment. Et des autres 1985 teintes j'en ai pus non plus.

— Et là-bas dans cette boîte c'est pas des lacets de soulier ?

Gridougrogne :

— Dites donc vous, j'aime pas qu'on fouine comme ça chez moi. 1990

— Vous refuseriez tout de même pas de vendre un lacet de soulier à un homme qui en a besoin. Autant refuser du pain à un affamé.

— Ça va, cherchez pas à m'attendrir.

— Et une paire de souliers ? Vous refuseriez de vendre une 1995 paire de souliers ?

— Ah là ! s'esclama Gridoux, là, vous êtes couyonné.

— Et pourquoi ça ?

— Je suis cordonnier et pas marchand de chaussures. Ne sutor
2000 ultra crepidam[1], comme disaient les Anciens. Vous comprenez le latin peut-être ? Usque non ascendam[2] anch'io son pittore[3] adios amigos amen et toc. Mais c'est vrai, vous pouvez pas apprécier, vous êtes pas curé, vous êtes flic.

— Où vous avez pris ça, s'il vous plaît ?

2005 — Flic ou satyre.

Le type haussa tranquillement les épaules et dit sans conviction ni amertume :

— Des insultes, voilà tous les remerciements qu'on reçoit quand on ramène une enfant perdue à ses parents. Des insultes.

2010 Et il ajoute après un gros soupir :

— Mais quels parents.

Gridoux décolla ses fesses de sus sa chaise pour demander d'un air menaçant :

— Et qu'est-ce qu'ils ont de mal, ses parents ? qu'est-ce que
2015 vous trouvez à leur redire ?

— Oh ! rien (sourire).

— Mais dites-le, dites-le donc.

— Le tonton est une tata.

1. Citation latine devenue proverbiale : « Que le cordonnier ne juge pas au-dessus de la chaussure », autrement dit « à chacun sa spécialité ».
2. « Jusqu'où ne monterai-je pas », devise de Fouquet, grand seigneur qui connut la disgrâce et mourut en prison sous Louis XIV.
3. « Moi aussi je suis peintre » (citation attribuée au Corrège). Gridoux mélange ici des citations d'origines et de langues variées.

— C'est pas vrai, gueula Gridoux, c'est pas vrai, je vous défends de dire ça. 2020

— Vous n'avez rien à me défendre, mon cher, je n'ai pas d'ordre à recevoir de vous.

— Gabriel, proféra Gridoux solennellement, Gabriel est un honnête citoyen, un honnête et honorable citoyen. D'ailleurs tout le monde l'aime dans le quartier. 2025

— Une séductrice.

— Vous m'emmerdez, vous, à la fin, avec vos airs supérieurs. Je vous répète que Gabriel n'est pas une tante, c'est clair, oui ou non ?

— Prouvez-le-moi, dit l'autre. 2030

— Pas difficile, répondit Gridoux. Il est marié.

— Ça prouve rien, dit l'autre. Tenez Henri Trois[1], par exemple, il était marié.

— Et avec qui ? (sourire).

— Louise de Vaudémont. 2035

Gridoux ricane.

— Ça se saurait si cette bonne femme avait été reine de France.

— Ça se sait.

— Vous avez entendu ça à la tévé (grimace). Vous croyez peut-être à tout ce qu'ils racontent ? 2040

— N'empêche que ça se trouve dans tous les livres.

— Même dans l'Annuaire du téléphone ?

---

1. Le dernier roi de France de la famille des Valois. Son assassinat mit fin à son règne. Il était marié, mais considéré comme homosexuel.

Le type ne sut que répondre.

— Vous voyez, conclut Gridoux avec bonhomie.

2045 Il ajouta ces mots ailés :

— Croyez-moi, faut pas juger les gens trop vite. Gabriel danse dans une boîte de pédales déguisé en Sévillane, dakor. Mais, qu'est-ce que ça prouve, hein ? Qu'est-ce que ça prouve. Tenez, donnez-moi votre godasse, je vais vous remettre un lacet.

2050 Le type se déchaussa et, en attendant que l'opération de change fût terminée, se tint à cloche-pied.

— Ça ne prouve rien, continuait Gridoux, sinon que ça amuse les gogos. Un colosse habillé en torero ça fait sourire, mais un colosse habillé en Sévillane, c'est ça alors qui fait marer les gens. 2055 D'ailleurs c'est pas tout, il danse aussi *La Mort du cygne*[1] comme à l'Opéra. En tutu. Là alors, les gens ils sont pliés en deux. Vous allez me parler de la bêtise humaine, dakor, mais c'est un métier comme un autre après tout, pas vrai ?

— Quel métier, se contenta de dire le type.

2060 — Quel métier, quel métier, répliqua Gridoux en le déganant[2]. Et vous, votre métier, vous en êtes fier ?

Le type ne répondit pas.

(silence double)

— Là, reprit Gridoux, la voilà votre godasse, avec son lacet 2065 tout neuf.

— Je vous dois combien ?

1. Tableau célèbre du ballet de Tchaïkovski, *Le lac des cygnes*.
2. En l'imitant.

— Rien, dit Gridoux.

Il ajouta :

— Tout de même, vous êtes pas très causant.

— C'est injuste de me dire ça, c'est moi qui suis venu vous trouver. _ 2070

— Oui, mais vous ne répondez pas aux questions qu'on vous pose.

— Lesquelles par exemple ?

— Aimez-vous les épinards ? _ 2075

— Avec des petits croûtons je les supporte, mais je ne ferais pas des folies pour.

Gridoux demeura pensif un instant, puis il lâcha une bordée de nomdehieus proférés à basse voix.

— Qu'est-ce qui ne va pas ? demanda le type. _ 2080

— Je donnerais cher pour savoir ce que vous êtes venu faire dans le coinstot.

— Je suis venu reconduire une enfant perdue à ses parents.

— Vous allez finir par me le faire croire.

— Et ça m'a attiré bien des ennuis. _ 2085

— Oh ! dit Gridoux, pas bien graves.

— Je ne parle pas de l'histoire avec le roi de la séguedille[1] et de la princesse des djinns bleus[2] (silence). Y a pire.

Le type avait fini de remettre sa chaussure.

1. Désigne Gabriel.

2. Jeu de mots entre « djinns » (créatures surnaturelles, esprits, dans la culture orientale) et « bloudjinnzes ». « La princesse des djinns bleus », c'est donc Zazie.

2090 — Ya pire, répéta-t-il.

— Quoi ? demanda Gridoux impressionné.

— J'ai ramené la petite à ses parents, mais moi je me suis perdu.

— Oh ! ça n'est rien, dit Gridoux rasséréné. Vous tournez dans 2095 la rue à gauche et vous trouvez le métro un peu plus bas, c'est pas difficile comme vous voyez.

— S'agit pas de ça. C'est moi, moi, que j'ai perdu.

— Comprends pas, dit Gridoux de nouveau un peu inquiet.

— Posez-moi des questions, posez-moi des questions, vous 2100 allez comprendre.

— Mais vous y répondez pas aux questions.

— Quelle injustice ! comme si je n'ai pas répondu pour les épinards.

Gridoux se gratta le crâne.

2105 — Eh bien par exemple…

Mais il ne put continuer, fort embarrassé.

— Dites, insistait le type, mais dites donc.

(silence) Gridoux baisse les yeux.

Le type lui vient en aide.

2110 — Vous voulez peut-être savoir mon nom par egzemple ?

— Oui, dit Gridoux, c'est ça, vott nom.

— Eh bien je ne le sais pas.

Gridoux leva les yeux.

— C'est malin, ça, dit-il.

2115 — Eh non, je ne le sais pas.

— Comment ça?

— Comment ça? Comme ça. Je ne l'ai pas appris par cœur.

(silence)

— Vous vous foutez de moi, dit Gridoux.

— Et pourquoi ça? _2120

— Est-ce qu'on a besoin d'apprendre son nom par cœur?

— Vous, dit le type, vous vous appelez comment?

— Gridoux, répondit Gridoux sans se méfier.

— Vous voyez bien que vous le savez par cœur votre nom de Gridoux. _2125

— C'est pourtant vrai, murmura Gridoux.

— Mais ce qu'il y a de plus fort dans mon cas, reprit le type, c'est que je ne sais pas si j'en avais un avant.

— Un nom?

— Un nom. _2130

— Ce n'est pas possible, murmura Gridoux avec accablement.

— Possible, possible, qu'est-ce que ça veut dire « possible », quand ça est?

— Alors comme ça vous n'avez jamais eu de nom?

— Il semble bien. _2135

— Et ça ne vous a jamais causé d'ennuis?

— Pas de trop.

(silence)

Le type répéta :

— Pas de trop. _2140

(silence)

— Et votre âge, demanda brusquement Gridoux. Vous ne le savez peut-être pas non plus votre âge ?

— Non, répondit le type. Bien sûr que non.

2145 Gridoux examina attentivement la tête de son interlocuteur.

— Vous devez avoir dans les…

Mais il s'interrompit.

— C'est difficile à dire, murmura-t-il.

— N'est-ce pas ? Alors, quand vous venez m'interroger sur mon 2150 métier, vous comprenez que c'est pas par mauvaise volonté que je ne vous réponds pas.

— Bien sûr, acquiesça Gridoux angoissé.

Un bruit de moteur vaseux fit se retourner le type. Un taxi vieux passa, ayant à bord Gabriel et Zazie.

2155 — Ça va se promener, dit le type.

Gridoux ne fait aucun commentaire. Il voudrait bien que l'autre aille se promener, lui aussi.

— Il ne me reste plus qu'à vous remercier, reprit le type.

— De rien, dit Gridoux.

2160 — Et le métro ? Alors, je le trouverai par là ? (geste)

— C'est ça. Par là.

— C'est un renseignement utile, dit le type. Surtout quand y a la grève.

— Vous pourrez toujours consulter le plan, dit Gridoux.

2165 Il se mit à taper très fort sur une semelle et le type s'en va.

8

— Ah Paris ! s'écria Gabriel avec un enthousiasme gourmand. Tiens, Zazie, ajouta-t-il brusquement en désignant quelque chose très au loin, regarde !! le métro !!!

— Le métro ? qu'elle fit.

Elle fronça les sourcils. _2170

— L'aérien, bien sûr, dit Gabriel benoîtement.

Avant que Zazie ait eu le temps de râler, il s'esclama de nouveau :

— Et ça ! là-bas !! regarde !!! le Panthéon !!!!

— C'est pas le Panthéon, dit Charles, c'est les Invalides. _2175

— Vous allez pas recommencer, dit Zazie.

— Non mais, cria Gabriel, c'est peut-être pas le Panthéon ?

— Non, c'est les Invalides, répondit Charles.

Gabriel se tourna vers lui et le regarda dans la cornée des œils :

— T'en es sûr, qu'il lui demande, t'en es tellement sûr que ça ? _2180

Charles ne répondit pas.

— De quoi que t'es absolument sûr ? qu'il insista Gabriel.

— J'ai trouvé, hurle alors Charles, ce truc-là, c'est pas les Invalides, c'est le Sacré-Cœur.

2185 — Et toi, dit Gabriel jovialement, tu ne serais pas par hasard le sacré con?

— Les petits farceurs de votre âge, dit Zazie, ils me font de la peine.

Ils regardèrent alors en silence l'orama[1], puis Zazie examina 2190 ce qui se passait à quelque trois cents mètres plus bas en suivant le fil à plomb.

— C'est pas si haut que ça, remarqua Zazie.

— Tout de même, dit Charles, c'est à peine si on distingue les gens.

2195 — Oui, dit Gabriel en reniflant, on les voit peu, mais on les sent tout de même.

— Moins que dans le métro, dit Charles.

— Tu le prends jamais, dit Gabriel. Moi non plus, d'ailleurs.

Désireuse d'éviter ce sujet pénible, Zazie dit à son oncle :

2200 — Tu regardes pas. Penche-toi donc, c'est quand même marant.

Gabriel fit une tentative pour jeter un coup d'œil sur les profondeurs.

— Merde, qu'il dit en se reculant, ça me fout le vertige.

2205 Il s'épongea le front et embauma.

— Moi, qu'il ajoute, je redescends. Si vous en avez pas assez, je vous attends au rez-de-chaussée.

Il est parti avant que Zazie et Charles aient pu le retenir.

---

1. Retrait du préfixe « pan- » dans « panorama ».

— Ça faisait bien vingt ans que j'y étais pas monté, dit Charles. J'en y ai pourtant conduit des gens. _ 2210

Zazie s'en fout.

— Vous riez pas souvent, qu'elle lui dit. Quel âge que vous avez ?

— Quel âge que tu me donnes ?

— Bin, vzêtes pas jeune : trente ans. _ 2215

— Et quinze de mieux.

— Bin alors vzavez pas l'air trop vieux. Et tonton Gabriel ?

— Trente-deux.

— Bin, lui, il paraît plus.

— Lui dis pas surtout, ça le ferait pleurer. _ 2220

— Pourquoi ça ? Parce qu'il pratique l'hormosessualité ?

— Où t'as été chercher ça ?

— C'est le type qui lui disait ça à tonton Gabriel, le type qui m'a ramenée. Il disait comme ça, le type, qu'on pouvait aller en tôle pour ça, pour l'hormosessualité. Qu'est-ce que c'est ? _ 2225

— C'est pas vrai.

— Si, c'est vrai qu'il a dit ça, répliqua Zazie indignée qu'on puisse mettre en doute une seule de ses paroles.

— C'est pas ça ce que je veux dire. Je veux dire que, pour Gabriel, c'est pas vrai ce que disait le type. _ 2230

— Qu'il soit hormosessuel ? Mais qu'est-ce que ça veut dire ? Qu'il se mette du parfum ?

— Voilà. T'as compris.

— Y a pas de quoi aller en prison.

2235 — Bien sûr que non.

Ils rêvèrent un instant en silence en regardant le Sacré-Cœur.

— Et vous ? demanda Zazie. Vous l'êtes, hormosessuel ?

— Est-ce que j'ai l'air d'une pédale ?

— Non, pisque vzêtes chauffeur.

2240 — Alors tu vois.

— Je vois rien du tout.

— Je vais quand même pas te faire un dessin.

— Vous dessinez bien ?

Charles se tournant d'un autre côté s'absorba dans la contem-
2245 plation des flèches de Sainte-Clotilde, œuvre de Gau et Ballu[1], puis proposa :

— Si on redescendait ?

— Dites-moi, demanda Zazie sans bouger, pourquoi que vous êtes pas marié ?

2250 — C'est la vie.

— Pourquoi que vous vous mariez pas ?

— J'ai trouvé personne qui me plaise.

Zazie siffla d'admiration.

— Vzêtes rien snob, qu'elle dit.

2255 — C'est comme ça. Mais dis-moi, toi quand tu seras grande, tu crois qu'il y aura tellement d'hommes que tu voudrais épouser ?

— Minute, dit Zazie, de quoi qu'on cause ? D'hommes ou de femmes ?

1. Ici, les références sont exactes : les deux architectes Gau et Ballu ont travaillé à la réalisation de l'église néogothique Sainte-Clotilde.

— S'agit de femmes pour moi, et d'hommes pour toi.

— C'est pas comparable, dit Zazie. _ 2260

— T'as pas tort.

— Vzêtes marant vous, dit Zazie. Vous savez jamais trop ce que vous pensez. Ça doit être épuisant. C'est pour ça que vous prenez si souvent l'air sérieux?

Charles daigne sourire. _ 2265

— Et moi, dit Zazie, je vous plairais?

— T'es qu'une môme.

— Ya des filles qui se marient à quinze ans, à quatorze même. Y a des hommes qu'aiment ça.

— Alors? moi? je te plairais? _ 2270

— Bien sûr que non, répondit Zazie avec simplicité.

Après avoir dégusté cette vérité première, Charles reprit la parole en ces termes :

— Tu as de drôles d'idées, tu sais, pour ton âge.

— Ça c'est vrai, je me demande même où je vais les chercher. _ 2275

— C'est pas moi qui pourrais te le dire.

— Pourquoi qu'on dit des choses et pas d'autres?

— Si on disait pas ce qu'on a à dire, on se ferait pas comprendre.

— Et vous, vous dites toujours ce que vous avez à dire pour _ 2280 vous faire comprendre?

— (geste).

— On est tout de même pas forcé de dire tout ce qu'on dit, on pourrait dire autre chose.

— (geste).

— Mais répondez-moi donc !

— Tu me fatigues les méninges. C'est pas des questions tout ça.

— Si, c'est des questions. Seulement c'est des questions auxquelles vous savez pas répondre.

— Je crois que je ne suis pas encore prêt à me marier, dit Charles pensivement.

— Oh ! vous savez, dit Zazie, toutes les femmes posent pas des questions comme moi.

— Toutes les femmes, voyez-vous ça, toutes les femmes. Mais tu n'es qu'une mouflette.

— Oh ! pardon, je suis formée.

— Ça va. Pas d'indécences.

— Ça n'a rien d'indécent. C'est la vie.

— Elle est propre, la vie.

Il se tirait sur la moustache en biglant, morose, de nouveau le Sacré-Cœur.

— La vie, dit Zazie, vous devez la connaître. Paraît que dans votre métier on en voit de drôles.

— Où t'as été chercher ça ?

— Je l'ai lu dans le *Sanctimontronais du dimanche*, un canard à la page même pour la province où ya des amours célèbres, l'astrologie et tout, eh bien on disait que les chauffeurs de taxi izan voyaient sous tous les aspects et dans tous les genres, de la sessualité. À commencer par les clientes qui veulent payer en nature. Ça vous est arrivé souvent ?

— Oh ! ça va ça va.

— C'est tout ce que vous savez dire : « Ça va ça va. » Vous devez être un refoulé.

— Ce qu'elle est emmerdante.

— Allez, râlez pas, racontez-moi plutôt vos complexes. _2315

— Qu'est-ce qu'il faut pas entendre.

— Les femmes ça vous fait peur, hein ?

— Moi je redescends. Parce que j'ai le vertige. Pas devant ça (geste). Mais devant une mouflette comme toi.

Il s'éloigne et quelque temps plus tard le revoilà à quelques _2320 mètres seulement au-dessus du niveau de la mer. Gabriel, l'œil peu vif, attendait, les mains posées sur ses genoux largement écartés. En apercevant Charles sans la nièce, il bondit et sa face prend la teinte vert-anxieux.

— T'as tout de même pas fait ça, qu'il s'écrie. _2325

— Tu l'aurais entendue tomber, répond Charles qui s'assoit accablé.

— Ça, ça serait rien. Mais la laisser seule.

— Tu la cueilleras à la sortie. Elle s'envolera pas.

— Oui, mais d'ici qu'elle soit là, qu'est-ce qu'elle peut encore _2330 me causer comme emmerdements. (soupir) Si j'avais su.

Charles réagit pas.

Gabriel regarde alors la tour, attentivement, longuement, puis commente :

— Je me demande pourquoi on représente la ville de Paris _2335 comme une femme. Avec un truc comme ça. Avant que ça soit construit, peut-être. Mais maintenant. C'est comme les femmes qui deviennent des hommes à force de faire du sport. On lit ça dans les journaux.

2340 — (silence).

— Eh bien, t'es devenu muet. Qu'est-ce que t'en penses?

Charles pousse alors un long hennissement douloureux et se prend la tête à deux mains en gémissant :

— Lui aussi, qu'il dit en gémissant, lui aussi… toujours la 2345 même chose… toujours la sessualité… toujours question de ça… toujours… tout le temps… dégoûtation… putréfaction… Ils pensent qu'à ça…

Gabriel lui tape sur l'épaule avec bénévolence[1].

— Ça n'a pas l'air d'aller, qu'il dit comme ça. Qu'est-ce qu'est 2350 arrivé?

— C'est ta nièce… ta putain de nièce…

— Ah! attention, s'écrie Gabriel en retirant sa main pour la lever au ciel, ma nièce c'est ma nièce. Modère ton langage ou tu vas en apprendre long sur ta grand-mère.

2355 Charles fait un geste de désespoir, puis se lève brusquement.

— Tiens, qu'il dit, je me tire. Je préfère pas revoir cette gamine. Adieu.

Et il s'élance vers son bahut.

Gabriel lui court après :

2360 — Comment qu'on fera pour rentrer?

1. Mot ancien qui signifie « bienveillance ».

— Tu prendras le métro.

— Il en a de bonnes, grogna Gabriel en arrêtant sa poursuite.

Le tac s'éloignait.

Debout, Gabriel médita, puis prononça ces mots :

— L'être ou le néant[1], voilà le problème. Monter, descendre, aller, venir, tant fait l'homme qu'à la fin il disparaît. Un taxi l'emmène, un métro l'emporte, la tour n'y prend garde[2], ni le Panthéon. Paris n'est qu'un songe, Gabriel n'est qu'un rêve (charmant), Zazie le songe d'un rêve (ou d'un cauchemar) et toute cette histoire le songe d'un songe[3], le rêve d'un rêve, à peine plus qu'un délire tapé à la machine par un romancier idiot (oh ! pardon). Là-bas, plus loin – un peu plus loin – que la place de la République, les tombes s'entassent de Parisiens qui furent, qui montèrent et descendirent des escaliers, allèrent et vinrent dans les rues et qui tant firent qu'à la fin ils disparurent. Un forceps les amena, un corbillard les remporte et la tour se rouille et le Panthéon se fendille plus vite que les os des morts trop présents ne se dissolvent dans l'humus de la ville tout imprégné de soucis. Mais moi je suis vivant et là s'arrête mon savoir car du taximane enfui dans son bahut locataire ou de ma nièce suspendue à trois cents mètres dans l'atmosphère ou de mon épouse la douce Marceline demeurée au foyer, je ne sais en ce moment précis et ici-même je ne sais que ceci, alexandri-

2365

2370

2375

2380

1. *L'Être et le Néant* est le titre d'une œuvre philosophique écrite par Jean-Paul Sartre en 1943, qui eut beaucoup de retentissement.
2. Référence à une chanson enfantine, « La tour, prends garde ».
3. Référence à la pièce de Calderón, *La vie est un songe*.

nairement : les voilà presque morts puisqu'ils sont des absents.
2385 Mais que vois-je par-dessus les citrons empoilés[1] des bonnes gens qui m'entourent?

Des voyageurs faisaient le cercle autour de lui l'ayant pris pour un guide complémentaire. Ils tournèrent la tête dans la direction de son regard.

2390 — Et que voyez-vous? demanda l'un d'eux particulièrement versé dans la langue française.

— Oui, approuva un autre, qu'y a-t-il à voir?

— En effet, ajoute un troisième, que devons-nous voir?

— Kouavouar? demanda un quatrième, kouavouar?
2395 kouavouar? kouavouar?

— Kouavouar? répondit Gabriel, mais (grand geste) Zazie, Zazie ma nièce, qui sort de la pile[2] et s'en vient vers nous.

Les caméras crépitent, puis on laisse passer l'enfant. Qui ricane.

— Alors, tonton? on fait recette?

2400 — Comme tu vois, répondit Gabriel avec satisfaction.

Zazie haussa les épaules et regarda le public. Elle n'y vit point Charles et le fit remarquer.

— Il s'est tiré, dit Gabriel.

— Pourquoi?

2405 — Pour rien.

— Pour rien, c'est pas une réponse.

— Oh bin, il est parti comme ça.

1. Expression imagée pour désigner les têtes.
2. Pied de la tour Eiffel.

— Il avait une raison.

— Tu sais, Charles. (geste)

— Tu veux pas me le dire ? _ 2410

— Tu le sais aussi bien que moi.

Un voyageur intervint :

— Male bonas horas collocamus si non dicis isti puellae the reason why this man Charles went away[1].

— Mon petit vieux, lui répondit Gabriel, mêle-toi de tes _ 2415 cipolles. She knows why and she bothers me quite a lot.

— Oh ! mais, s'écria Zazie, voilà maintenant que tu sais parler les langues forestières[2].

— Je ne l'ai pas fait esprès, répondit Gabriel en baissant modestement les yeux. _ 2420

— Most interesting, dit un des voyageurs.

Zazie revint à son point de départ.

— Tout ça ne me dit pas pourquoi charlamilébou.

Gabriel s'énerva.

— Parce que tu lui disais des trucs qu'il comprenait pas. Des _ 2425 trucs pas de son âge.

— Et toi, tonton Gabriel, si je te disais des trucs que tu comprendrais pas, des trucs pas de ton âge, qu'est-ce que tu ferais ?

— Essaie, dit Gabriel d'un ton craintif.

— Par egzemple, continua Zazie impitoyable, si je te _ 2430

1. L'anglais succède au latin : « Nous nous préparons des moments pénibles si tu n'expliques pas à la jeune fille les raisons du départ de Charles. »
2. Expression qui existait vraiment en ancien français pour désigner les langues étrangères.

demandais, t'es un hormosessuel ou pas ? est-ce que tu comprendrais ? Ça serait-i de ton âge ?

— Most interesting, dit un voyageur (le même que tout à l'heure).

2435 — Pauvre Charles, soupira Gabriel.

— Tu réponds, oui ou merde, cria Zazie. Tu comprends ce mot-là : hormosessuel ?

— Bien sûr, hurla Gabriel, veux-tu que je te fasse un dessin ?

La foule intéressée approuva. Quelques-uns applaudirent.

2440 — T'es pas chiche, répliqua Zazie.

C'est alors que Fédor Balanovitch fit son apparition.

— Allons grouillons ! qu'il se mit à gueuler. Schnell ! Schnell[1] ! remontons dans le car et que ça saute.

— Where are we going now ?

2445 — À la Sainte-Chapelle, répondit Fédor Balanovitch. Un joyau de l'art gothique. Allons grouillons ! Schnell ! Schnell !

Mais les gens grouillaient pas, fortement intéressés par Gabriel et sa nièce.

— Là, disait celle-ci à celui-là qui n'avait rien dessiné, tu vois 2450 que t'es pas chiche.

— Ce qu'elle peut être tannante, disait celui-là.

Fédor Balanovitch, remonté de confiance à son bord, s'aperçut qu'il n'avait été suivi que par trois ou quatre minus.

---

1. « Vite », en allemand. Ce mot rappelle de mauvais souvenirs, car il était souvent prononcé par les soldats nazis lors des arrestations.

— Alors quoi, beugla-t-il, y a pus de discipline ? Qu'est-ce qu'ils foutent, bon dieu !

Il donna quelques coups de claqueson. Ça ne fit bouger personne. Seul, un flic, préposé aux voies du silence, le regarda d'un œil noir. Comme Fédor Balanovitch ne souhaitait pas engager un conflit vocal avec un personnage de cette espèce, il redescendit de sa guérite et se dirigea vers le groupe de ses administrés afin de se rendre compte de ce qui pouvait les entraîner à l'insubordination.

— Mais c'est Gabriella, s'esclama-t il. Qu'est-ce que tu fous là ?

— Chtt chtt, fit Gabriel cependant que le cercle de ses admirateurs s'enthousiasmait naïvement au spectacle de cette rencontre.

— Non mais, continuait Fédor Balanovitch, tu ne vas tout de même pas leur faire le coup de *La Mort du cygne* en tutu ?

— Chht chht, fit de nouveau Gabriel très à court de discours.

— Et qu'est-ce que c'est que cette môme que tu trimbales avec toi ? où que tu l'as ramassée ?

— C'est ma nièce et tâche à voir de respecter ma famille même mineure.

— Et lui, qui c'est ? demanda Zazie.

— Un copain, dit Gabriel. Fédor Balanovitch.

— Tu vois, dit Fédor Balanovitch à Gabriel, je ne fais plus le bâille-naïte[1], je me suis élevé dans la hiérarchie sociale et j'emmène tous ces cons à la Sainte-Chapelle.

1. *By night*, en phonétique...

— Tu pourrais peut-être nous rentrer à la maison. Avec cette grève des transtrucs en commachin, on peut plus rien faire de ce qu'on veut. Y a pas un tac à l'horizon.

— On va pas déjà rentrer, dit Zazie.

— De toute façon, dit Fédor Balanovitch, faut qu'on passe d'abord à la Sainte-Chapelle avant que ça ferme. Ensuite, ajouta-t-il à l'intention de Gabriel, c'est possible que je te rentre chez toi.

— Et c'est intéressant, la Sainte-Chapelle ? demanda Gabriel.

— Sainte-Chapelle ! Sainte-Chapelle ! telle fut la clameur touriste et ceux qui la poussèrent, cette clameur touriste, entraînèrent Gabriel vers le car dans un élan irrésistible.

— Il leur a tapé dans l'œil, dit Fédor Balanovitch à Zazie restée comme lui en arrière.

— Faut tout de même pas, dit Zazie, s'imaginer que je vais me laisser trimbaler avec tous ces veaux.

— Moi, dit Fédor Balanovitch, je m'en fous.

Et il remonta devant son volant et son micro, utilisant aussitôt ce dernier instrument :

— Allons grouillons ! qu'il haut-parlait jovialement. Schnell ! Schnell !

Les admirateurs de Gabriel l'avaient déjà confortablement installé et, munis d'appareils adéquats, mesuraient le poids de la lumière afin de lui tirer le portrait avec des effets de contre-jour. Bien que toutes ces attentions le flattassent, il s'enquit cependant du destin de sa nièce. Ayant appris de Fédor Balanovitch que la dite se refusait à suivre le mouvement, il s'arrache au cercle enchanté des xénophones, redescend et se jette sur Zazie qu'il saisit par un bras et entraîne vers le car. _2505

Les caméras crépitent.

— Tu me fais mal, glapissait Zazie folle de rage. Mais elle fut elle aussi emportée vers la Sainte-Chapelle par le véhicule aux lourds pneumatiques.

9

2510 — Ouvrez grand vos hublots, tas de caves[1], dit Fédor Balanovitch. À droite vous allez voir la gare d'Orsay[2]. C'est pas rien comme architecture et ça peut vous consoler de la Sainte-Chapelle si on arrive trop tard ce qui vous pend au nez avec tous ces foutus encombrements à cause de cette grève de mes deux.

2515 Communiant dans une incompréhension unanime et totale, les voyageurs bèèrent. Les plus fanatiques d'entre eux n'avaient d'ailleurs fait aucune attention aux grognements du haut-parleur et, grimpés à contresens sur les sièges, ils contemplaient avec émotion l'archiguide Gabriel[3]. Il leur sourit. Alors, ils espérèrent.

2520 — Sainte-Chapelle, qu'ils essayaient de dire. Sainte-Chapelle…

— Oui, oui, dit-il aimablement. La Sainte-Chapelle (silence) (geste) un joyau de l'art gothique (geste) (silence).

— Recommence pas à déconner, dit aigrement Zazie.

— Continuez, continuez, crièrent les voyageurs en couvrant

1. On utiliserait aujourd'hui l'expression tout aussi familière « pigeons », qui désigne ceux que l'on peut facilement duper.
2. Devenue depuis le musée d'Orsay.
3. Mot-valise : archange + guide.

la voix de la petite. On veut ouïr, on veut ouïr, ajoutèrent-ils en — 2525
un grand effort berlitzscoulien[1].

— Tu vas tout de même pas te laisser faire, dit Zazie.

Elle lui prit un morceau de chair à travers l'étoffe du pantalon, entre les ongles, et tordit méchamment. La douleur fut si forte que de grosses larmes commencèrent à couler le long des — 2530
joues de Gabriel. Les voyageurs qui, malgré leur grande expérience du cosmopolitisme, n'avaient encore jamais vu de guide pleurer, s'inquiétèrent ; analysant ce comportement étrange, les uns selon la méthode déductive, les autres selon l'inductive, ils conclurent à la nécessité d'un pourliche. Une collecte fut faite, — 2535
on la posa sur les genoux du pauvre homme, dont le visage redevint souriant plus d'ailleurs par cessation de souffrance que par gratitude, car la somme n'était pas considérable.

— Tout ceci doit vous paraître bien singulier, dit-il timidement aux voyageurs. — 2540

Une francophone assez distinguée esprima l'opinion commune :

— Et la Sainte-Chapelle ?

— Ah ah, dit Gabriel et il fit un grand geste.

— Il va parler, dit la dame polyglotte à ses congénères en leur — 2545
idiome natif[2].

D'aucuns, encouragés, montèrent sur les banquettes pour ne

1. L'école Berlitz est une méthode d'enseignement des langues vivantes.
2. Langue maternelle.

rien perdre et du discours et de la mimique. Gabriel toussota pour se donner de l'assurance. Mais Zazie recommença.

— Aouïe, dit Gabriel distinctement.

— Le pauvre homme, s'écria la dame.

— Ptite vache, murmura Gabriel en se frottant la cuisse.

— Moi, lui souffla Zazie dans le cornet de l'oreille, je me tire au prochain feu rouge. Alors, tonton, tu vois ce qui te reste à faire.

— Mais après, comment on fera pour rentrer ? dit Gabriel en gémissant.

— Puisque je te dis que j'ai pas envie de rentrer.

— Mais ils vont nous suivre…

— Si on descend pas, dit Zazie avec férocité, je leur dis que t'es un hormosessuel.

— D'abord, dit paisiblement Gabriel, c'est pas vrai et, deuzio, i comprendront pas.

— Alors, si c'est pas vrai, pourquoi le satyre t'a dit ça ?

— Ah pardon (geste). Il est pas du tout démontré que ça eille été un satyre.

— Bin qu'est-ce qu'i te faut.

— Ce qu'il me faut ? Des faits !

Et il fit de nouveau un grand geste d'un air illuminé qui impressionna fortement les voyageurs fascinés par le mystère de cette conversation qui joignait à la difficulté du vocabulaire tant d'associations d'idées exotiques.

— D'ailleurs, ajouta Gabriel, quand tu l'as amené, tu nous as dit que c'était un flic.

— Oui, mais maintenant je dis que c'était un satyre. Et puis, tu n'y connais rien.

— Oh pardon (geste), je sais ce que c'est.

— Tu sais ce que c'est?

— Parfaitement, répondit Gabriel vexé, j'ai eu souvent à repousser les assauts de ces gens-là. Ça t'étonne?

Zazie s'esclaffa.

— Ça ne m'étonne pas du tout, dit la dame francophone qui comprenait vaguement qu'on était sur le chapitre des complexes. Oh! mais!! pas du tout!!!

Et elle biglait le colosse avec une certaine langueur.

Gabriel rougit et resserra le nœud de sa cravate après avoir vérifié d'un doigt preste et discret que sa braguette était bien close.

— Tiens, dit Zazie qui en avait assez de rire, tu es un vrai tonton des familles. Alors, on se tire?

Elle le pinça de nouveau sévèrement. Gabriel fit un petit saut en criant aouïe. Bien sûr qu'il aurait pu lui foutre une tarte qui lui aurait fait sauter deux ou trois dents, à la mouflette, mais qu'auraient dit ses admirateurs? Il préférait disparaître du champ de leur vision que de leur laisser l'image pustuleuse et répréhensible d'un bourreau d'enfant. Un encombrement appréciable s'étant offert, Gabriel, suivi de Zazie, descendit tranquillement tout en faisant aux voyageurs déconcertés de petits signes de connivence, hypocrite manœuvre en vue de les duper. Effectivement, les dits voyageurs repartirent avant d'avoir pu prendre de mesures adéquates. Quant à Fédor Balanovitch, les allées et

2600 _ venues de Gabriella le laissaient tout à fait indifférent et il ne se souciait que de mener ses agneaux en lieu voulu avant l'heure où les gardiens de musée vont boire, une telle faille dans le programme n'étant pas réparable car le lendemain les voyageurs partaient pour Gibraltar aux anciens parapets. Tel était leur itinéraire.
2605 _

Après les avoir regardés s'éloigner, Zazie eut un petit rire, puis, par une habitude rapidement prise, elle saisit à travers l'étoffe du pantalon un bout de chair de cuisse de l'oncle entre ses ongles et lui imprime un mouvement hélicoïdal.

2610 _ — Merde à la fin, gueula Gabriel, c'est pas drôle quoi merde ce petit jeu-là, t'as pas encore compris ?

— Tonton Gabriel, dit Zazie paisiblement, tu m'as pas encore espliqué si tu étais un hormosessuel ou pas, primo, et deuzio où t'avais été pêcher toutes les belles choses en langue forestière que
2615 _ tu dégoisais tout à l'heure ? Réponds.

— T'en as dla suite dans les idées pour une mouflette, observa Gabriel languissamment.

— Réponds donc, et elle lui foutit un bon coup de pied sur la cheville.

2620 _ Gabriel se mit à sauter à cloche-pied en faisant des simagrées.

— Houille, qu'il disait, houïe là là aouïe.

— Réponds, dit Zazie.

Une bourgeoise qui maraudait dans le coin s'approcha de l'enfant pour lui dire ces mots :

2625 _ — Mais, voyons, ma petite chérie, tu lui fais du mal à ce pauvre meussieu. Il ne faut pas brutaliser comme ça les grandes personnes.

— Grandes personnes mon cul, répliqua Zazie. Il veut pas répondre à mes questions.

— Ce n'est pas une raison valable. La violence, ma petite chérie, doit toujours être évitée dans les rapports humains. Elle est éminemment condamnable.

— Condamnable mon cul, répliqua Zazie, je ne vous demande pas l'heure qu'il est.

— Seize heures quinze, dit la bourgeoise.

— Vous n'allez pas laisser cette petite tranquille, dit Gabriel qui s'était assis sur un banc.

— Vous m'avez encore l'air d'être un drôle d'éducateur, vous, dit la dame.

— Éducateur mon cul, tel fut le commentaire de Zazie.

— La preuve, vous n'avez qu'à l'écouter parler (geste), elle est d'une grossièreté, dit la dame en manifestant tous les signes d'un vif dégoût.

— Occupez-vous de vos fesses à la fin, dit Gabriel. Moi j'ai mes idées sur l'éducation.

— Lesquelles ? demanda la dame en posant les siennes sur le banc à côté de Gabriel.

— D'abord, primo, la compréhension.

Zazie s'assit de l'autre côté de Gabriel et le pinça rien qu'un petit peu.

— Et ma question à moi ? demanda-t-elle mignardement. On y répond pas ?

— Je peux tout de même pas la jeter dans la Seine, murmura Gabriel en se frottant la cuisse.

2655 — Soyez compréhensif, dit la bourgeoise avec son plus charmant sourire.

Zazie se pencha pour lui dire :

— Vous avez fini de lui faire du plat à mon tonton ? Vous savez qu'il est marié.

2660 — Mademoiselle, vos insinuations ne sont pas de celles que l'on subtruque[1] à une dame dans l'état de veuvage.

— Si je pouvais me tirer, murmura Gabriel.

— Tu répondras avant, dit Zazie.

Gabriel regardait le bleu du ciel en mimant le désintérêt le 2665 plus total.

— Il n'a pas l'air de vouloir, remarqua la dame veuve objectivement.

— Faudra bien.

Et Zazie fit semblant de vouloir le pincer. Le tonton bondit 2670 avant même d'être touché. Les deux personnes du sexe féminin s'en réjouirent grandement. La plus âgée, modérant les soubresauts de son rire, formula la question suivante :

— Et qu'est-ce que tu voudrais qu'il te dise ?

— S'il est hormosessuel ou pas.

---

1. Que l'on glisse en douce (néologisme).

— Lui ? demanda la bourgeoise (un temps). Y a pas de doute. _ 2675

— Pas de doute : quoi ? demanda Gabriel d'un ton assez menaçant.

— Que vous en êtes une.

Elle trouvait ça tellement drôle qu'elle en gloussait.

— Non mais dites donc, dit Gabriel en lui donnant une petite _ 2680 tape dans le dos qui lui fit lâcher son sac à main.

— Il n'y a pas moyen de causer avec vous, dit la veuve en ramassant différents objets éparpillés sur l'asphalte.

— T'es pas gentil avec la dame, dit Zazie.

— Et ce n'est pas en évitant de répondre aux questions d'une _ 2685 enfant que l'on fait son éducation, ajouta la veuve en revenant s'asseoir à côté de lui.

— Faut être plus compréhensif, ajouta Zazie hypocritement.

Gabriel grinça des dents.

— Allez, dites-le, si vous en êtes ou si vous en êtes pas. _ 2690

— Non non et non, répondit Gabriel avec fermeté.

— Elles disent toutes ça, remarqua la dame pas convaincue du tout.

— Au fond, dit Zazie, je voudrais bien savoir ce xé.

— Quoi ? _ 2695

— Ce xé qu'un hormosessuel.

— Parce que tu ne le sais pas ?

— Je devine bien, mais je voudrais bien qu'il me le dise.

— Et qu'est-ce que tu devines ?

— Tonton, sors un peu voir ta pochette. _ 2700

Gabriel, soupirant, obéit. Toute la rue embauma.

— Vzavez compris ? demanda Zazie finement à la veuve qui remarque à mi-voix

— Barbouze de chez Fior.

2705 — Tout juste, dit Gabriel, en remettant son mouchoir dans sa poche. Un parfum d'homme.

— Ça c'est vrai, dit la veuve.

Et à Zazie :

— Tu n'as rien deviné du tout.

2710 Zazie, horriblement vexée, se tourne vers Gabriel :

— Alors pourquoi que le type t'a accusé de ça ?

— Quel type ? demanda la dame.

— Il t'accusait bien de faire le tapin, répliqua Gabriel à l'intention de Zazie.

2715 — Quel tapin ? demanda la dame.

— Aouïe, cria Gabriel.

— N'egzagère pas, ma petite, dit la dame avec une indulgence factice.

— Pas besoin de vos conseils.

2720 Et Zazie pinça de nouveau Gabriel.

— C'est vraiment charmant les gosses, murmura distraitement Gabriel en assumant son martyre.

— Si vous aimez pas les enfants, dit la bourgeoise, on se demande pourquoi vous vous chargez de leur éducation.

2725 — Ça, dit Gabriel, c'est toute une histoire.

— Racontez-la-moi, dit la dame.

— Merci, dit Zazie, je la connais.

— Mais moi, dit la veuve, je ne la connais pas.

— Ça, on s'en fout. Alors tonton, et cette réponse?

— Puisque je t'ai dit non, non et non. _ 2730

— Elle a de la suite dans les idées, fit observer la dame qui croyait le jugement original.

— Une vraie petite mule, dit Gabriel avec attendrissement.

La dame fit ensuite cette remarque non moins judicieuse que la précédente : _ 2735

— Vous ne semblez pas très bien la connaître, cette enfant. On dirait que vous êtes en train de découvrir ses différentes qualités.

Elle roula le mot qualités entre des guillemets.

— Qualités mon cul, grommela Zazie.

— Vzêtes une fine mouche, dit Gabriel. En fait je nl'ai sur les _ 2740 bras que depuis hier.

— Je vois.

— Elle voit quoi? demanda Zazie aigrement.

— Est-ce qu'elle sait? dit Gabriel en haussant les épaules.

Négligeant cette parenthèse plutôt péjorative, la veuve ajouta : _ 2745

— Et c'est votre nièce?

— Gzactement, répondit Gabriel.

— Et lui, c'est ma tante, ajouta Zazie qui croyait la plaisanterie assez neuve ce qu'on escusa étant donné son jeune âge.

— Hello! s'écrièrent des gens qui descendaient d'un taxi. _ 2750

Les plus mordus d'entre les voyageurs, la dame francophone en tête, revenus de leur surprise, pourchassaient leur archiguide

à travers le dédale lutécien et le magma des encombrements et venaient avec un pot d'enfer de remettre la main dssus. Ils mani-
2755 festaient une grande joie, car ils étaient sans rancune au point de ne pas même soupçonner qu'ils avaient des raisons d'en avoir. Se saisissant de Gabriel aux cris de Montjoie Sainte-Chapelle[1] ! ils le traînèrent jusqu'à leur véhicule, l'insérèrent dedans non sans habileté et s'entassèrent dessus pour qu'il ne s'envolât point
2760 avant qu'il leur eût montré leur monument favori dans tous ses détails. Ils ne se soucièrent point d'emmener Zazie avec eux. La dame francophone lui fit simplement un petit signe amical et d'une ironique pseudoconnivence tandis que le bahut démarrait, cependant que l'autre dame, non moins francophone d'ail-
2765 leurs mais veuve, faisait des petits sauts sur place en poussant des clameurs. Les citoyens et citoyennes qui se trouvaient dans lcoin asteure se replièrent sur des positions moins esposées au tintouin.

— Si vous continuez à gueuler comme ça, bougonna Zazie, y
2770 a un flic qu'est capable de se ramener.

— Petit être stupide, dit la veuve, c'est bien pour ça que je crie : aux guidenappeurs, aux guidenappeurs.

Enfin se présente un flicard alerté par les bêlements de la rombière.

2775 — Y a kèkchose qui se passe ? qu'il demande.

— On vous a pas sonné, dit Zazie.

1. Référence au cri de guerre des rois capétiens : « Montjoie ! Saint-Denis ! »

— Vous faites pourtant un de ces ramdams, dit le flicard.

— Y a un homme qui vient de se faire enlever, dit la dame haletante. Un bel homme même.

— Crénom, murmura le flicard mis en appétit.

— C'est ma tante, dit Zazie.

— Et lui ? demanda le flicard.

— C'est lui qu'est ma tante, eh lourdingue.

— Et elle alors ?

Il désignait la veuve.

— Elle ? c'est rien.

Le policemane se tut pour assimiler le zest de la situation. La dame, stimulée par l'épithète zazique, sur-le-champ conçut un audacieux projet.

— Courons sus aux guidenappeurs, qu'elle dit, et à la Sainte-Chapelle nous le délivrerons.

— Ça fait une trotte, remarqua le sergent de ville bourgeoisement. Je suis pas champion de cross, moi.

— Vous ne voudriez tout de même pas qu'on prenne un taxi et que je le paye, moi.

— Elle a raison, dit Zazie qui était près de ses sous. Elle est moins conne que je ne croyais.

— Je vous remercie, dit la dame enchantée.

— Y a pas de quoi, répliqua Zazie.

— Tout de même c'est gentil, insista la dame.

— Ça va ça va, dit Zazie modestement.

— Quand vous aurez fini tous vos salamalecs, dit le flicard.

— On ne vous demande rien, dit la dame.

— Ça c'est bien les femmes, s'esclama le sergent de ville. Com-
2805 ment ça, vous ne me demandez rien ? Vous me demandez tout simplement de me foutre un point de côté, oui. Si c'est pas rien, ça, alors je comprends plus rien à rien.

Il ajouta d'un air nostalgique :

— Les mots n'ont plus le même sens qu'autrefois.

2810 Et il soupirait en regardant l'extrémité de ses tatanes.

— Tout ça ne me rend pas mon tonton, dit Zazie. On va encore dire que j'ai voulu faire une fugue et ce sera pas vrai.

— Ne vous inquiétez pas, mon enfant, dit la veuve. Je serai là pour témoigner de votre bonne volonté et de votre innocence.

2815 — Quand on l'est vraiment, innocent, dit le sergent de ville, on a besoin de personne.

— Le salaud, dit Zazie, je le vois venir avec ses gros yéyés. I sont tous pareils.

— Vous les connaissez donc tant que ça, ma pauvre enfant ?

2820 — M'en parlez pas, ma pauvre dame, répond Zazie en minaudant. Figurez-vous que maman elle a fendu le crâne à mon papa à la hache. Alors des flics après ça, vous parlez si j'en ai vu, ma chère.

— Ça alors, dit le sergent de ville.

— C'est encore rien les flics, dit Zazie. Mais c'est les juges.
2825 Alors ceux-là…

— Tous des vaches, dit le sergent de ville avec impartialité.

— Eh bien, les flics comme les juges, dit Zazie, je les eus. Comme ça (geste).

La veuve la regardait émerveillée.

— Et moi, dit le sergent de ville, comment vas-tu t'y prendre pour m'avoir ? _2830

Zazie l'examina.

— Vous, qu'elle dit, j'ai déjà vu votre tête quelque part.

— Ça m'étonnerait, dit le flicmane.

— Et pourquoi ça ? Pourquoi que je vous aurais pas déjà vu quelque part ? _2835

— En effet, dit la veuve. Elle a raison, cette petite.

— Je vous remercie, madame, dit Zazie.

— Il n'y a pas de quoi.

— Mais si mais si. _2840

— Elles se foutent de moi, murmura le sergent de ville.

— Alors ? dit la veuve. C'est tout ce que vous savez faire ? Mais remuez-vous donc un peu.

— Moi, dit Zazie, je suis sûre de l'avoir vu quelque part.

Mais la veuve avait brusquement reporté son admiration sur le flic. _2845

— Montrez-nous vos talents, qu'elle lui dit en accompagnant ces mots d'une œillade aphrodisiaque et vulcanisante[1]. Un bel agent de police comme vous, ça doit en connaître des trucs. Dans les limites de la légalité, bien sûr. _2850

— C'est un veau, dit Zazie.

---

1. Référence à Aphrodite, déesse de l'amour et de la sexualité, et Vulcain, dieu du feu. Les deux dieux sont époux.

— Mais non, dit la dame. Faut l'encourager. Faut être compréhensive.

Et de nouveau elle le regarda d'un œil humide et thermogène[1].

_2855 — Attendez, dit le flicmane soudain mis en mouvement, vzallez voir ce que vzallez voir. Vzallez voir ce dont est capable Trouscaillon.

— Il s'appelle Trouscaillon ! s'écria Zazie enthousiasmée.

— Eh bien moi, dit la veuve en rougissant un tantinet, je m'appelle madame Mouaque. Comme tout le monde, qu'elle ajouta. 2860_

1. Littéralement « qui produit de la chaleur ». Allusion à l'expression figurée, la veuve « allume » Trouscaillon…

10

À cause de la grève des funiculaires et des métrolleybus[1], il roulait dans les rues une quantité accrue de véhicules divers, cependant que, le long des trottoirs, des piétons ou des piétonnes fatigués ou impatients faisaient de l'auto-stop, fondant le principe de leur réussite sur la solidarité inusuelle que devaient provoquer chez les possédants les difficultés de la situation. _ 2865

Trouscaillon se plaça lui aussi sur le bord de la chaussée et sortant un sifflet de sa poche, il en tira quelques sons déchirants.

Les voitures qui passaient poursuivirent leur chemin. Des cyclistes poussèrent des cris joyeux et s'en allèrent, insouciants, vers leur destin. Les deux roues motorisées accrurent la décibélité[2] de leur vacarme et ne s'arrêtèrent point. D'ailleurs ce n'était pas à eux que Trouscaillon s'adressait. _ 2870

Il y eut un blanc. Un encombrement radical devait sans doute geler quelque part toute circulation. Puis une conduite intérieure, isolée mais bien banale, fit son apparition. Trouscaillon roucoula. Cette fois, le véhicule freina. _ 2875

---

1. Mot-valise : métro + trolleybus.
2. Néologisme formé à partir de « décibel », mesure du volume sonore.

— Qu'est-ce qu'il y a? demanda le chauffeur agressivement à Trouscaillon qui s'approchait. J'ai rien fait de mal. Je connais le code de la route, moi. Jamais de contredanses. Et j'ai mes papiers. Alors quoi? Vous feriez mieux d'aller faire marcher le métro que de venir emmerder les bons citoyens. Vous êtes pas content avec ça? Bin, qu'est-ce qu'il vous faut!

Il s'en va.

— Bravo Trouscaillon, crie de loin Zazie en prenant un air très sérieux.

— Faut pas l'humilier comme ça, dit la veuve Mouaque, ça va lui enlever ses moyens.

— Je l'avais bien deviné que c'était un veau.

— Vous ne trouvez pas qu'il est beau garçon?

— Tout à l'heure, dit Zazie sévèrement, c'est mon oncle que vous trouviez à vott goût. Il vous les faut tous?

Une roulade de sons aigus attira de nouveau leur attention sur les exploits de Trouscaillon. Ils étaient minimes. L'encombrement avait dû se déboucher quelque part, une dégoulinade de véhicules s'écoulait lentement devant le flicmane, mais son petit sifflet ne semblait impressionner qui que ce soit. Puis de nouveau, le flot se raréfia, une coagulation ayant dû de nouveau se produire au lieu X.

Une conduite intérieure bien banale fit son apparition. Trouscaillon roucoula. Le véhicule s'arrêta.

— Qu'est-ce qu'il y a? demanda le conducteur agressivement à Trouscaillon qui s'approchait. J'ai rien fait de mal. J'ai mon permis de conduire, moi. Jamais de contredanses. Et j'ai mes papiers. Alors quoi ? Vous feriez mieux d'aller faire marcher le métro que de venir emmerder les bons citoyens. Vous êtes pas content avec ça ? Eh bien, allez vous faire voir par les Marocains.

— Oh ! fit Trouscaillon choqué.

Mais le type est parti.

— Bravo Trouscaillon, crie Zazie au comble de l'enthousiasme dedans lequel elle nage avec ravissement.

— Il me plaît de plus en plus, dit la veuve Mouaque à mi-voix.

— Elle est complètement dingue, dit Zazie de même.

Trouscaillon, emmerdé, se mettait à douter de la vertu de l'uniforme et de son sifflet. Il était en train de secouer le dit objet pour l'assécher de toute la salive qu'il y avait déversée, lorsqu'une conduite intérieure bien banale vint d'elle-même se ranger devant lui. Une tête dépassa de la carrosserie et prononça les mots d'espoir suivants :

— Pardon, meussieu l'agent, vous ne pourriez pas m'indiquer le chemin le plus court pour me rendre à la Sainte-Chapelle, ce joyau de l'art gothique ?

— Eh bien, répondit automatiquement Trouscaillon, voilà. Faut d'abord prendre à gauche, et puis ensuite à droite, et puis lorsque vous serez arrivé sur une place aux dimensions réduites, vous vous engagez dans la troisième rue à droite, ensuite dans la deuxième à gauche, encore un peu à droite, trois fois sur la gauche, et enfin droit devant vous pendant cinquante-cinq mètres. Naturellement, dans tout ça, y aura des sens interdits, ce qui vous simplifiera pas le boulot.

— Je vais jamais y arriver, dit le conducteur. Moi qui suis venu de Saint-Montron exeuprès pour ça.

— Faut pas vous décourager, dit Trouscaillon. Une supposition que je vous y conduise ?

— Vous devez avoir autre chose à faire.

— Croyez pas ça. Je suis libre comme l'r. Seulement, si c'était un effet de votre bonté de véhiculer aussi ces deux personnes (geste).

— Moi je m'en fous. Pourvu que j'arrive avant l'heure où c'est que ça se ferme.

— Ma parole, dit la veuve de loin, on dirait qu'il a fini par réquisitionner un voiturin.

— Il va m'épater, dit Zazie objectivement.

Trouscaillon fit un petit temps de galop dans leur direction et leur dit sans élégance :

— Amenez-vous en vitesse ! Le type nous embarque.

— Allons, dit la veuve Mouaque, sus aux guidenappeurs !

— Tiens, je les avais oubliés ceux-là, dit Trouscaillon.

— Faut peut-être mieux pas en parler à votre bonhomme, dit la veuve diplomatiquement.

— Alors comme ça, demanda Zazie, il nous emmène à la chapelle en question ?

— Mais grouillez-vous donc !

Prenant Zazie chacun par un bras, Trouscaillon et la veuve

Mouaque foncèrent vers la conduite intérieure bien banale dans laquelle ils la jetèrent.

— J'aime pas qu'on me traite comme ça, hurlait Zazie folle de rage.

— Vous avez l'air de quidnappeurs, dit le Sanctimontronais plaisamment.

— C'est une simple apparence, dit Trouscaillon en s'asseyant à côté de lui. Vous pouvez y aller si vous voulez arriver avant la fermeture.

On démarre. Pour aider le mouvement, Trouscaillon se penchait au-dehors et sifflait avec frénésie. Ça avait tout de même un certain effet. Le provincial était ravi.

— Maintenant, faut prendre à gauche, ordonna Trouscaillon.

Zazie boudait.

— Alors, lui dit la veuve Mouaque hypocritement, tu n'es pas contente de revoir ton tonton ?

— Tonton mon cul, dit Zazie.

— Tiens, dit le conducteur, mais c'est la fille de Jeanne Lalochère. Je l'avais pas reconnue, déguisée en garçon.

— Vous la connaissez ? demanda la veuve Mouaque avec indifférence.

— Je veux, dit le type.

Et il se retourna pour compléter l'identification, juste le temps de rentrer dans la voiture qui le précédait.

— Merde, dit Trouscaillon.

— C'est bien elle, dit le Sanctimontronais.

— Je vous connais pas, moi, dit Zazie.

— Alors quoi, on sait plus conduire, dit l'embouti descendu de son siège pour venir échanger quelques injures bourdonnantes avec son emboutisseur. Ah ! ça m'étonne pas… un provincial… Au lieu de venir encombrer les rues de Paris, vous feriez mieux d'aller garder vozouazé¬vovos.

— Mais meussieu, dit la veuve Mouaque, vous nous retardez avec vos propos morigénateurs ! Nous sommes en mission commandée nous ! Nous allons délivrer un guidenappé.

— Quoi, quoi ? dit le Sanctimontronais, moi je marche plus. Je suis pas venu à Paris pour jouer au coboille.

— Et vous ? dit l'autre conducteur en s'adressant à Trouscaillon, qu'est-ce que vous attendez pour dresser un constat ?

— Vous en faites pas, lui répondit Trouscaillon, c'est constaté, c'est constaté. Pouvez me faire confiance.

Et il imitait le flic qui griffonne des trucs sur un vieil écorné carnet.

— Vzavez votre carte grise ?

Trouscaillon fit semblant de l'examiner.

— Pas de passeport diplomatique ?

— (négation écœurée).

— Ça ira comme ça, dit la trouscaille[1], vous pouvez vous tirer.

L'embouti, songeur, remonta dans sa voiture et reprit sa course. Mais le Sanctimontronais, lui, ne bougeait pas.

1. Mot-valise : Trouscaillon + flicaille (argot péjoratif pour « policier »).

— Eh bien ! dit la veuve Mouaque, qu'est-ce que vous attendez ?

Derrière, des claquesons râlaient.

— Mais puisque je vous dis que je ne veux pas jouer au coboille. Une mauvaise balle est vite attrapée.

— Dans mon bled, dit Zazie, on est moins trouillard. 3010

— Oh toi, dit le type, je te connais. Tu ferais se battre des montagnes.

— C'est vache, ça, dit Zazie. Pourquoi que vous essayez de me faire cette réputation dégueulasse ?

Les claquesons hurlaient de plus en plus fort, un vrai orage. 3015

— Mais démarrez donc ! cria Trouscaillon.

— Je tiens à ma peau, dit le Sanctimontronais platement.

— Vous en faites pas, dit la veuve Mouaque toujours diplomate, y a pas de danger. Juste une blague.

Le type se retourna pour voir d'une façon un peu plus détaillée 3020 l'allure de cette rombière. Cet examen l'inclina vers la confiance.

— Vous me le promettez ? qu'il demanda.

— Puisque je vous le dis.

— C'est pas une histoire politique avec toutes sortes de conséquences emmerdatoires ? 3025

— Mais non, c'est juste une blague, je vous assure.

— Alors allons-y, dit le type quand même pas absolument rassuré.

— Puisque vous dites que vous me connaissez, dit Zazie, ma moman, vous l'auriez pas vue par hasard ? Elle est à Paris elle 3030 aussi.

Ils avaient tout juste parcouru une distance de quelques toises que quatre heures sonnèrent au clocher d'une église voisine, église de style néoclassique d'ailleurs.

3035 — C'est foutu, dit le Sanctimontronais.

Il freina de nouveau, ce qui provoqua derrière lui une nouvelle explosion d'avertisseurs sonores.

— Plus la peine, qu'il ajouta. Ça va être fermé maintenant.

— Raison de plus pour vous presser, dit la veuve Mouaque 3040 raisonnable et stratégique. Notre guidenappé, on va plus pouvoir le retrouver.

— Je m'en fous, dit le type.

Mais ça claquesonnait tellement fort derrière lui qu'il ne put s'empêcher de se remettre en route, poussé en quelque sorte 3045 devant lui par les vibrations de l'air agité par l'irritation unanime des stoppés.

— Allez, dit Trouscaillon, faites pas la mauvaise tête. Maintenant on est presque arrivés. Vous pourrez dire comme ça aux gens de votre pays que si vous avez pas pu la voir, la Sainte-Chapelle, 3050 du moins vous en avez pas été loin. Tandis qu'en restant ici…

— C'est qu'il cause pas mal quand il veut, remarqua Zazie impartialement à propos du discours du flicmane.

— De plus en plus il me plaît, murmura la veuve Mouaque à voix tellement basse que personne ne l'entendit.

3055 — Et ma moman ? demanda de nouveau Zazie au type, puisque vous dites que vous me connaissez, vous l'auriez pas vue par hasard ?

— Ça alors, dit le Sanctimontronais, je manque vraiment de pot. Avec toutes ces bagnoles, faut que vous ayez choisi justement la mienne. 3060

— On l'a pas fait esprès, dit Trouscaillon. Moi, par egzemple, quand je suis dans une ville que je connais pas, ça m'arrive aussi de demander mon chemin.

— Oui mais, dit le Sanctimontronais, et la Sainte-Chapelle ?

— Ça faut avouer, dit Trouscaillon qui, dans cette simple 3065 ellipse[1], utilisait hyperboliquement le cercle vicieux de la parabole.

— Bon, dit le Sanctimontronais, j'y vais.

— Sus aux guidenappeurs, cria la veuve Mouaque.

Et Trouscaillon, sortant sa tête hors carrosserie, sifflait pour 3070 écarter les importuns. On avançait médiocrement vite.

— Tout ça, dit Zazie, c'est misérable. Moi je n'aime que le métro.

— Je n'y ai jamais mis les pieds, dit la veuve.

— Vous êtes rien snob, dit Zazie. 3075

— Du moment que j'en ai les moyens…

— N'empêche que tout à l'heure vous étiez pas prête à raquer un rond pour un taxi.

— Puisque c'était inutile. La preuve.

— Ça roule, dit Trouscaillon en se retournant vers les passa- 3080 gères pour quêter une approbation.

---

1. Désigne la phrase incomplète, donc elliptique, de Trouscaillon qui n'apporte aucune réponse au Sanctimontronais.

— Voui, dit la veuve Mouaque en extase.

— Faudrait pas charrier, dit Zazie. Quand on sera arrivés, le tonton se sera barré depuis belle lurette.

3085 — Je fais de mon mieux, dit le Sanctimontronais qui, changeant de voie de garage, s'esclama : ah ! si on avait le métro à Saint-Montron ! n'est-ce pas petite ?

— Ça alors, dit Zazie, c'est le genre de déconnances qui m'écœurent particulièrement. Comme si pouvait y avoir le 3090 métro dans nott bled.

— Ça viendra un jour, dit le type. Avec le progrès. Y aura le métro partout. Ça sera même ultra-chouette. Le métro et l'hélicoptère, vlà l'avenir pour ce qui est des transports urbains. On prend le métro pour aller à Marseille et on revient par l'héli3095 coptère.

— Pourquoi pas le contraire ? demanda la veuve Mouaque dont la passion naissante n'avait pas encore entièrement obnubilé le cartésianisme natif[1].

— Pourquoi pas le contraire ? dit le type anaphoriquement. À 3100 cause de la vitesse du vent.

Il se tourne un peu vers l'arrière pour apprécier les effets de cette astuce majeure, ce qui l'entraîne à rentrer de l'avant dans un car stationné en deuxième position. On était arrivé. En effet Fédor Balanovitch fit son apparition et se mit à débiter le dis3105 cours type :

1. Un esprit cartésien désigne un esprit rationnel, en référence au philosophe Descartes.

— Alors quoi ? On sait plus conduire ! Ah ! ça, m'étonne pas… un provincial… Au lieu de venir encombrer les rues de Paris, vous feriez mieux d'aller garder vozouazévovos.

— Tiens, s'écria Zazie, mais c'est Fédor Balanovitch. Vzavez pas vu mon tonton ? 3110

— Sus au tonton, dit la veuve Mouaque en s'estrayant de la carlingue.

— Ah mais c'est pas tout ça, dit Fédor Balanovitch. Faudrait voir à voir, regardez ça, vous m'avez abîmé mon instrument de travail. 3115

— Vzétiez arrêté en deuxième position, dit le Sanctimontronais, ça se fait pas.

— Commencez pas à discuter, dit Trouscaillon en descendant à son tour. Jvais arranger ça.

— C'est pas de jeu, dit Fédor Balanovitch, vzétiez dans sa voi- 3120
ture. Vzallez être partial.

— Eh bien, démerdez-vous, dit Trouscaillon qui se tira anxieux de retrouver la veuve Mouaque, laquelle avait disparu dans le sillage de la mouflette.

11

3125 — À la terrasse du Café des Deux Palais, Gabriel, vidant sa cinquième grenadine, pérorait devant une assemblée dont l'attention semblait d'autant plus grande que la francophonie y était plus dispersée.

— Pourquoi, qu'il disait, pourquoi qu'on supporterait pas la 3130 — vie du moment qu'il suffit d'un rien pour vous en priver? Un rien l'amène, un rien l'anime, un rien la mine, un rien l'emmène. Sans ça, qui supporterait les coups du sort et les humiliations d'une belle carrière, les fraudes des épiciers, les tarifs des bouchers, l'eau des laitiers, l'énervement des parents, la fureur 3135 — des professeurs, les gueulements des adjudants, la turpitude des nantis, les gémissements des anéantis, le silence des espaces infinis, l'odeur des choux-fleurs ou la passivité des chevaux de bois, si l'on ne savait que la mauvaise et proliférante conduite de quelques cellules infimes[1] (geste) ou la trajectoire d'une balle 3140 — tracée par un anonyme involontaire irresponsable ne viendrait inopinément faire évaporer tous ces soucis dans le bleu du ciel.

1. Désigne ici le cancer, comme l'une des multiples façons dont il est possible de mourir.

Moi qui vous cause, j'ai bien souvent gambergé à ces problèmes tandis que vêtu d'un tutu je montre à des caves de votre espèce mes cuisses naturellement assez poilues il faut le dire mais professionnellement épilées. Je dois ajouter que si vous en esprimez _ 3145 le désir, vous pouvez assister à ce spectacle dès ce soir.

— Hourra ! s'écrièrent les voyageurs de confiance.

— Mais, dis-moi, tonton, tu fais de plus en plus recette.

— Ah te voilà, toi, dit Gabriel tranquillement. Eh bien, tu vois, je suis toujours en vie et même en pleine prospérité. _ 3150

— Tu leur as montré la Sainte-Chapelle ?

— Ils ont eu du pot. C'était en train de fermer, on a juste eu le temps de faire un cent mètres devant les vitraux. Comme ça (geste) d'ailleurs, les vitraux. Ils sont enchantés (geste), eux. Pas vrai my gretchen lady ? _ 3155

La touriste élue acquiesça, ravie.

— Hourra ! crièrent les autres.

— Sus aux guidenappeurs, ajouta la veuve Mouaque suivie de près par Trouscaillon.

Le flicmane s'approcha de Gabriel et, s'inclinant respectueuse- _ 3160 ment devant lui, s'informa de l'état de sa santé. Gabriel répondit succinctement qu'elle était bonne. L'autre alors poursuivit son interrogatoire en abordant le problème de la liberté. Gabriel assura son interlocuteur de l'étendue de la sienne, que de plus il jugeait à sa convenance. Certes, il ne niait pas qu'il y ait eu _ 3165 tout d'abord une atteinte non contestable à ses droits les plus imprescriptibles à cet égard, mais, finalement, s'étant adapté à la situation, il l'avait transformée à tel point que ses ravisseurs étaient devenus ses esclaves et qu'il disposerait bientôt de leur libre arbitre à sa guise. Il ajouta pour conclure qu'il détestait que la police fourrât son nez dans ses affaires et, comme l'horreur que lui inspiraient de tels agissements n'était pas loin de lui donner la nausée, il sortit de sa poche un carré de soie de la couleur du lilas (celui qui n'est pas blanc) mais imprégné de Barbouze, le parfum de Fior, et s'en tamponna le tarin.

Trouscaillon, empesté, s'escusa, salua Gabriel en se mettant au garde-à-vous, egzécuta le demi-tour réglementaire, s'éloigna, disparut dans la foule accompagné par la veuve Mouaque qui le pourchasse au petit trot.

— Comment que tu l'as mouché, dit Zazie à Gabriel en se faisant une place à côté de lui. Pour moi, ce sera une glace fraise-chocolat.

— Il me semble que j'ai déjà vu sa tête quelque part, dit Gabriel.

— Maintenant que voilà la flicaille vidée, dit Zazie, tu vas peut-être me répondre. Es-tu un hormosessuel ou pas?

— Je te jure que non.

Et Gabriel étendit le bras en crachant par terre, ce qui choqua quelque peu les voyageurs. Il allait leur espliquer ce trait du folclore gaulois, quand Zazie, le prévenant dans ses intentions didactiques, lui demanda pourquoi dans ce cas-là le type l'avait accusé d'en être un.

— Ça recommence, gémit Gabriel.

Les voyageurs, comprenant vaguement, commençaient à trouver que ça n'était plus drôle du tout et se consultèrent à voix basse et dans leurs idiomes natifs. Les uns étaient d'avis de jeter la fillette à la Seine, les autres de l'emballer dans un plède et de la mettre en consigne dans une gare quelconque après l'avoir gavée de ouate pour l'insonoriser. Si personne ne voulait sacrifier de couverture, une valise pourrait convenir, en tassant bien.

Inquiet de ces conciliabules, Gabriel se décide à faire quelques concessions.

— Eh bien, dit-il, je t'espliquerai tout ce soir. Mieux même tu verras de tes propres yeux.

— Je verrai quoi ?

— Tu verras. C'est promis.

Zazie haussa les épaules.

— Les promesses, moi…

— Tu veux que je crache encore un coup par terre ?

— Ça suffit. Tu vas postillonner dans ma glace.

— Alors maintenant fous-moi la paix. Tu verras, c'est promis.

— Qu'est-ce qu'elle verra, cette petite ? demanda Fédor Balanovitch qui avait fini par régler son tamponnement avec le Sanctimontronais lequel d'ailleurs avait manifesté une forte envie de disparaître du coin.

Il s'installe à son tour près de Gabriel et les voyageurs lui firent respectueusement place.

— Je l'emmène ce soir au Mont-de-piété, répondit Gabriel (geste), et les autres aussi.

— Minute, dit Fédor Balanovitch, ça fait pas partie du programme. Moi faut que je les couche de bonne heure, car ils doivent partir demain matin pour Gibraltar aux anciens parapets. Tel est leur itinéraire.

— En tout cas, dit Gabriel, ça leur plaît.

— Ils se rendent pas compte de ce qui les attend, dit Fédor Balanovitch.

— Ça sera un souvenir pour eux, dit Gabriel.

— Pour moi zossi, dit Zazie qui poursuivait méthodiquement des expériences sur les saveurs comparées de la fraise et du chocolat.

— Oui mais, dit Fédor Balanovitch, qu'est-ce qui paiera au Mont-de-piété ? Ils marcheront pas pour un supplément.

— Je les ai bien en main, dit Gabriel.

— À propos, lui dit Zazie, je crois que c'est en train de me revenir la question que je voulais te poser.

— Eh bien tu repasseras, dit Fédor Balanovitch. Laisse causer les hommes.

Impressionnée, Zazie la boucla.

Comme un loufiat[1] passait d'aventure, Fédor Balanovitch lui dit :

— Pour moi, ce sera un jus de bière.

— Dans une tasse ou en boîte ? demanda le garçon.

— Dans un cercueil, répondit Fédor Balanovitch qui fit signe au loufiat qu'il pouvait disposer.

---

1. Garçon de café (argot). Voir *Les mots ont une histoire*, p. 242.

— Celle-là, elle est suprême, se risque à dire Zazie. Même le général Vermot aurait pas trouvé ça tout seul. 3245

Fédor Balanovitch ne porte aucune attention aux propos de la mouflette.

— Alors, comme ça, qu'il demande à Gabriel, tu crois qu'on pourrait leur imposer une surcharge?

— Puisque je te dis que je les ai en main. Faut en profiter. 3250 Tiens, par egzemple, où tu les emmènes dîner?

— Ah! c'est qu'on les soigne. Ils ont droit au Buisson d'Argent. Mais c'est payé directement par l'agence.

— Regarde. Moi, je connais une brasserie boulevard Turbigo[1] où ça coûtera infiniment moins cher. Toi, tu vas voir le patron 3255 de ton restau de luxe et tu te fais rembourser quelque chose sur ce qu'il touchera de l'agence, c'est tout profit pour tout le monde et, par-dessus le marché là où je te les emmènerai, qu'est-ce qu'ils se régaleront pas. Naturellement on paiera ça avec le supplément qu'on va leur demander pour le Mont-de-piété. Quant à la ris- 3260 tourne de l'autre restau, on se la partage.

— Vzêtes des ptits rusés tous les deux, dit Zazie.

— Ça alors, dit Gabriel, c'est de la pure méchanceté. Moi tout ce que je fais, c'est pour leur (geste) plaisir.

— On pense qu'à ça, dit Fédor Balanovitch. Qu'à ce qu'ils 3265 s'en aillent avec un souvenir inoubliable de st'urbe inclite qu'on vocite Parouart[2]. Afin qu'ils y reviennent.

1. Il existe bien une rue Turbigo à Paris, mais pas de boulevard Turbigo.
2. « Cette ville célèbre qu'on appelle Paris », imitation d'une phrase de *Pantagruel* de Rabelais.

— Eh bien tout est pour le mieux, dit Gabriel. En attendant le dîner, ils espérimenteront le sous-sol de la brasserie : quinze
3270 billards, vingt pimpons. Unique à Paris.

— Ça sera un souvenir pour eux, dit Fédor Balanovitch.

— Pour moi zossi, dit Zazie. Car pendant ce temps-là j'irai me promener.

— Pas sur le Sébasto surtout, dit Gabriel affolé.

3275 — T'en fais pas, dit Fédor Balanovitch, elle doit avoir de la défense.

— N'empêche que sa mère me l'a pas confiée pour qu'elle traîne entre les Halles et le Château d'Eau[1].

— Je ferai juste les cent pas devant ta brasserie, dit Zazie conci-
3280 liante.

— Raison de plus pour qu'on croie que tu fais le tapin, s'esclama Gabriel épouvanté. Surtout avec tes bloudjinnzes. Y a des amateurs.

— Y a des amateurs de tout, dit Fédor Balanovitch en homme
3285 qui connaît la vie.

— C'est pas gentil pour moi, ça, dit Zazie en se tortillant.

— Si maintenant elle se met à te faire du charme, dit Gabriel, on aura tout vu.

— Pourquoi ? demanda Zazie. C'est un homo ?

3290 — Tu veux dire un normal, rectifia Fédor Balanovitch. Suprême, celle-là, n'est-ce pas tonton ?

---

1. Gabriel évoque un quartier où il y avait de nombreuses prostituées.

Et il tapa sur la cuisse de Gabriel qui se trémoussa. Les voyageurs les regardaient avec curiosité.

— Ils doivent commencer à s'emmerder, dit Fédor Balanovitch. Il serait temps que tu les emmènes à tes billards pour les distraire un chouïa. Pauvres innocents qui croient que c'est ça, Paris. _ 3295

— Tu oublies que je leur ai montré la Sainte-Chapelle, dit Gabriel fièrement.

— Nigaud, dit Fédor Balanovitch qui connaissait à fond la langue française étant natif de Bois-Colombes. C'est le Tribunal de commerce que tu leur as fait visiter. _ 3300

— Tu me fais marcher, dit Gabriel incrédule. T'en es sûr?

— Heureusement que Charles est pas là, dit Zazie. Ça se compliquerait. _ 3305

— Si c'était pas la Sainte-Chose, dit Gabriel, en tout cas, c'était bien beau.

— Sainte-Chose??? Sainte-Chose??? demandèrent, inquiets, les plus francophones d'entre les voyageurs.

— La Sainte-Chapelle, dit Fédor Balanovitch. Un joyau de l'art gothique. _ 3310

— Comme ça (geste), ajouta Gabriel.

Rassurés, les voyageurs sourirent.

— Alors? dit Gabriel. Tu leur espliques?

Fédor Balanovitch cicérona[1] la chose en plusieurs idiomes. _ 3315

1. Expliqua.

— Eh bien, dit Zazie d'un air connaisseur, il est fortiche le Slave.

D'autant plus que les voyageurs manifestaient leur accord en sortant leur monnaie avec enthousiasme, témoignant ainsi et du prestige de Gabriel et de l'amplitude des connaissances linguistiques de Fédor Balanovitch.

— C'est justement ça, ma deuxième question, dit Zazie. Quand je t'ai retrouvé aux pieds de la tour Eiffel, tu parlais l'étranger aussi bien que lui. Qu'est-ce qui t'avait pris ? Et pourquoi que tu recommences plus ?

— Ça, dit Gabriel, je peux pas t'espliquer. C'est des choses qu'arrivent on sait pas comment. Le coup de génie, quoi.

Il finit son verre de grenadine.

— Qu'est-ce que tu veux, les artisses, c'est comme ça.

12

Trouscaillon et la veuve Mouaque avaient déjà fait un bout de chemin lentement côte à côte mais droit devant eux et de plus en silence, lorsqu'ils s'aperçurent qu'ils marchaient côte à côte lentement mais droit devant eux et de plus en silence. Alors ils se regardèrent et sourirent : leurs deux cœurs avaient parlé. Ils restèrent face à face en se demandant qu'est-ce qu'ils pourraient bien se dire et en quel langage l'esprimer. Alors la veuve proposa de commémorer sur-le-champ cette rencontre en asséchant un glasse[1] et de pénétrer à cette fin dans la salle de café du Vélocipède boulevard Sébastopol, où quelques halliers déjà s'humectaient le tube ingestif avant de charrier leurs légumes. Une table de marbre leur offrirait sa banquette de velours et ils tremperaient leurs lèvres dans leurs demi'toyens en attendant que la serveuse à la chair livide s'éloigne pour laisser enfin les mots d'amour éclore à travers le bulbulement de leurs bières. À l'heure où se boivent les jus de fruits aux couleurs fortes et les liqueurs fortes aux couleurs pâles, ils resteraient posés sur

1. En buvant un verre.

la susdite banquette de velours échangeant, dans le trouble de leurs mains enlacées, des vocables prolifiques en comportements sexués dans un avenir peu lointain. Mais halte-là, lui répondit
3350 _ Trouscaillon, je ne puis illico, bellicose[1] l'uniforme ; laissez-moi le temps de changer de frusques. Et il lui fila un rancart[2] pour l'apéritif à la brasserie du Sphéroïde[3], plus haut à droite. Car il habitait rue Rambuteau.

La veuve Mouaque, revenue à la solitude, soupira. Je fais des
3355 _ folies, dit-elle à mi-voix pour elle-même. Mais ces quelques mots ne churent point platement et ignorés sur le trottoir ; ils tombèrent dans les étiquettes d'une qu'était rien moins que gourde. Destinés à l'usage interne, ces quatre mots provoquèrent néanmoins la réponse que voici : qu'est-ce qui n'en fait pas. Avec un
3360 _ point d'interrogation, car la réponse était percontative.

— Tiens te voilà toi, dit la veuve Mouaque.

— Je vous regardais tout à l'heure, vous étiez marants tous les deux le flicmane et vous.

— À tes yeux, dit la veuve Mouaque.

3365 _ — « À mes yeux ? » Quoi, « à mes yeux » ?

— Marants, dit la veuve Mouaque. À d'autres yeux, pas marants.

— Les pas marants, dit Zazie, je les emmerde.

---

1. Déformation de *because*, par contamination sonore de « illico ».
2. Jeu de mots subtil : « mettre au rencart » (avec un *t*), c'est « se débarrasser de », tandis qu'un « rancard », en argot, c'est un rendez-vous. On s'interroge donc sur les intentions de Trouscaillon !
3. Clin d'œil à une brasserie réelle du boulevard de Strasbourg, la brasserie du Globe, où l'on jouait aussi au billard.

— Tu es toute seule ?

— Ouida, ma chère, je mpromène.

— Ce n'est pas une heure ni un quartier pour laisser une fillette se promener seule. Qu'est-ce qu'il est devenu ton oncle ?

— Il trimbale les voyageurs. Il les a emmenés jouer au billard. En attendant, je prends l'air. Parce que moi, le billard, ça m'emmerde. Mais je dois les retrouver pour la bouffe. Après on ira le voir danser.

— Danser ? Qui ?

— Mon tonton.

— Il danse, cet éléphant ?

— Et en tutu encore, répliqua Zazie fièrement.

La veuve Mouaque en reste coite.

Elles étaient arrivées à la hauteur d'une épicerie en gros et au détail ; de l'autre côté du boulevard à sens unique, une pharmacie non moins grossiste et non moins détaillante, déversait ses feux verts sur une foule avide de camomille et de pâté de campagne, de berlingots et de semen-contra[1], de gruyère et de ventouses, une foule que le voisinage aspirant des gares commençait d'ailleurs à raréfier.

La veuve Mouaque soupira.

— Ça ne te fait rien si je marche un peu avec toi ?

— Vous voulez surveiller ma conduite ?

— Non, mais tu me tiendrais compagnie.

---

1. Plante qui sert de vermifuge.

— Ça je m'en fous. Je préfère être seule.

De nouveau la veuve Mouaque soupira.

3395 — Et moi qui me sens si seule… si seule… si seule…

— Seule mon cul, dit la fillette avec la correction du langage qui lui était habituelle.

— Sois donc compréhensive avec les grandes personnes, dit la dame la voix pleine d'eau. Ah! si tu savais…

3400 — C'est le flicard qui vous met dans cet état?

— Ah l'amour… quand tu connaîtras…

— Je me disais bien qu'au bout du compte vous alliez me débiter des cochonneries. Si vous continuez, j'appelle un flic… un autre…

— C'est cruel, dit la veuve Mouaque amèrement.

3405 Zazie haussa les épaules.

— Pauv'vieille… Allez, chsuis pas un mauvais cheval. Je vais vous tenir compagnie le temps que vous vous remettiez. J'ai bon cœur, hein?

Avant que la Mouaque utu le temps de répondre, Zazie avait 3410 ajouté :

— Tout de même… un flicard. Moi, ça me débecterait.

— Je te comprends. Mais qu'est-ce que tu veux, ça s'est trouvé comme ça. Peut-être que si ton oncle n'avait pas été guide-nappé…

3415 — Je vous ai déjà dit qu'il était marié. Et ma tante est drôlement mieux que vott' pomme.

— Ne fais pas de réclame pour ta famille. Mon Trouscaillon me suffit. Me suffira, plutôt.

Zazie haussa les épaules.

— Tout ça, c'est du cinéma, qu'elle dit. Vous auriez pas un autre sujet de conversation ? _ 3420

— Non, dit énergiquement la veuve Mouaque.

— Eh bien alors, dit non moins énergiquement Zazie, je vous annonce que la semaine de bonté est terminée. À rvoir.

— Merci tout de même, mon enfant, dit la veuve Mouaque pleine d'indulgence. _ 3425

Elles traversèrent ensemble séparément la chaussée et se retrouvèrent devant la brasserie du Sphéroïde.

— Tiens, dit Zazie, vous vlà encore vous. Vous me suivez ?

— J'aimerais mieux te voir ailleurs, dit la veuve. _ 3430

— Elle est suprême, celle-là. Y a pas cinq minutes, on pouvait pas se débarrasser de vous. Maintenant faut prendre le large. C'est l'amour qui rend comme ça ?

— Que veux-tu ? Pour tout dire, j'ai rendez-vous ici même avec mon Trouscaillon. _ 3435

Du sous-sol émanait un grand brou. Ah ah.

— Et moi avec mon tonton, dit Zazie. Ils sont tous là. En bas. Vous les entendez qui s'agitent en pleine préhistoire ? Parce que, comme je vous l'ai dit, moi, le billard…

La veuve Mouaque détaillait le contenu du rez-de-chaussée. _ 3440

— Il est pas là, votre coquin, dit Zazie.

— Pointancor, dit la dame. Pointancor.

— Bin sûr. Y a jamais de flics dans les bistros. C'est défendu.

— Là, dit la veuve finement, tu vas être coyonnée. Il est allé
3445 – se vêtir civilement.

— Et vous serez foutue de le reconnaître dans cet état?

— Je l'aime, dit la veuve Mouaque.

— En attendant, dit Zazie rondement, descendez donc boire un glasse avec nous. Il est peut-être au sous-sol après tout. Peut-
3450 – être qu'il l'a fait esprès.

— Faut pas egzagérer. Il est flic, pas espion.

— Qu'est-ce que vous en savez? Il vous a fait des confidences? Déjà?

— J'ai confiance, dit la rombière non moins extatiquement
3455 – qu'énigmatiquement.

Zazie haussa les épaules encore une fois.

— Allez... un glasse, ça vous renouvellera les idées.

— Pourquoi pas, dit la veuve qui, ayant regardé l'heure, venait de constater qu'elle avait encore dix minutes à attendre son fli-
3460 – golo[1].

Du haut de l'escalier, on apercevait des petites boules glisser alertement sur des tapis verts et, d'autres plus légères, zébrer le brouillard qui s'élevait des demis de bière et des bretelles humides. Zazie et la veuve Mouaque aperçurent le groupe com-
3465 – pact des voyageurs agrégé autour de Gabriel qui était en train de méditer un carambolage d'une haute difficulté. L'ayant réussi, il fut acclamé en des idiomes divers.

---

1. Mot-valise : flic + gigolo. Un gigolo est un homme qui se fait entretenir par une femme, en échange de faveurs amoureuses.

— Ils sont contents, hein, dit Zazie toute fière de son tonton.

La dame, du chef, eut l'air d'approuver.

— Ce qu'ils peuvent être cons, ajouta Zazie avec attendrissement. Et encore ils n'ont rien vu. Quand Gabriel va se montrer en tutu, la gueule qu'ils vont faire. _3470

La dame daigna sourire.

— Qu'est-ce que c'est au juste qu'une tante? lui demanda familièrement Zazie en vieille copine. Une pédale? une lope? un pédé? un hormosessuel? Y a des nuances? _3475

— Ma pauvre enfant, dit en soupirant la veuve qui de temps à autre retrouvait des débris de moralité pour les autres dans les ruines de la sienne pulvérisée par les attraits du flicmane.

Gabriel qui venait de louper un queuté-six-bandes les aperçut alors et leur fit un petit salut de la main. Puis il reprit froidement le cours de sa série, négligeant l'échec de son dernier carambolage. _3480

— Je remonte, dit la veuve avec décision.

— Bonnes fleurs bleues[1], dit Zazie qui alla voir le billard de plus près. _3485

La boule motrice était située en f2, l'autre boule blanche en g3 et la rouge en h4[2]. Gabriel s'apprêtait à masser[3] et, dans ce but, bleuissait son procédé. Il dit :

— Elle est drôlement collante, la rombière. _3490

1. Référence à l'expression « être fleur bleue », qui signifie « être romantique, sentimental ».
2. Les lettres et les chiffres désignent la place des pièces dans le jeu d'échecs, et non celle des boules sur une table de billard.
3. Terme technique du billard qui désigne une façon de frapper la boule.

— Elle a un fleurte terrible avec le flicmane qu'est venu te causer quand on s'est ramenés au bistro.

— On s'en fout. Pour le moment, laisse-moi jouer. Pas de blagues. Du calme. Du sang-froid.

Au milieu de l'admiration générale, il leva sa queue en l'air pour percuter ensuite la boule motrice afin de lui faire décrire un arc de parabole. Le coup porté, déviant de sa juste application, s'en fut sabrer le tapis d'une zébrure qui représentait une valeur marchande tarifée par les patrons de l'établissement. Les voyageurs qui, sur des engins voisins, s'étaient efforcés de produire un résultat semblable sans y être parvenus, manifestèrent leur admiration. Il était temps d'aller dîner.

Après avoir fait la quête pour payer les frais et réglé la note équitablement, Gabriel, ayant récupéré son monde, y compris les joueurs de pimpon, le mena casser la graine à la surface du sol. La brasserie au rez-de-chaussée lui parut convenir à cette entreprise et il s'affala sur une banquette avant d'avoir vu la veuve Mouaque et Trouscaillon à une table vise-à-vise. Ils lui firent des signes guillerets et Gabriel eut du mal à reconnaître le flicmane dans l'endimanché qui prenait des mines à côté de la rombière. N'écoutant que les intermittences de son cœur bon, Gabriel les convia du geste à se joindre à sa smalah, ce dont ne se firent faute. Les étrangers s'étranglaient d'enthousiasme devant tant de couleur locale, cependant que des garçons vêtus d'un pagne commençaient à servir, accompagnée de demis de bière enrhumés, une choucroute pouacre[1] parsemée de saucisses paneuses, de lard chanci[2], de jambon tanné et de patates germées, apportant ainsi à l'appréciation inconsidérée de palais bien disposés la ffine efflorescence de la cuisine ffransouèze[3].

Zazie, goûtant au mets, déclara tout net que c'était de la merde. Le flicard élevé par sa mère concierge dans une solide tradition de bœuf mironton, la rombière quant à elle experte en frites authentiques, Gabriel lui-même bien qu'habitué aux nourritures étranges qu'on sert dans les cabarets, s'empressèrent de suggérer à l'enfant ce silence lâche qui permet aux gargotiers de corrompre le goût public sur le plan de la politique intérieure et, sur le plan de la politique extérieure, de dénaturer à l'usage des étrangers l'héritage magnifique que les cuisines de France ont reçu des Gaulois, à qui l'on doit, en outre, comme chacun sait, les braies[4], la tonnellerie et l'art non figuratif.

— Vous m'empêcherez tout de même pas de dire, dit Zazie, que c' (geste) est dégueulasse.

— Bien sûr, bien sûr, dit Gabriel, je veux pas te forcer. Je suis compréhensif moi, pas vrai, madame?

— Des fois, dit la veuve Mouaque. Des fois.

— C'est pas tellement ça, dit Trouscaillon, c'est à cause de la politesse.

1. Immonde.
2. Moisi.
3. Prononciation caricaturale du mot « française », qui insiste sur le côté faussement authentique et « terroir ».
4. Pantalon. Le mot « braies » est en effet l'un des rares mots français qui vient d'une langue gauloise.

— Politesse mon cul, dit Zazie.

— Vous, dit Gabriel au flicmane, je vous prie de me laisser élever cette môme comme je l'entends. C'est moi qui en ai la responsibilitas. Pas vrai, Zazie?

— Paraît, dit Zazie. En tout cas, moi, rien à faire pour que je bouffe cette saloperie.

— Mademoiselle désire? s'enquit hypocritement un loufiat vicieux qui flairait la bagarre.

— Jveux ottchose, dit Zazie.

— Notre choucroute alsacienne ne plaît pas à la petite demoiselle? demanda le vicieux loufiat.

Il voulait faire de l'ironie, le con.

— Non, dit Gabriel avec force et autorité, ça lui plaît pas.

Le loufiat considéra pendant quelques instants le format de Gabriel, puis en la personne de Trouscaillon subodora le flic. Tant d'atouts réunis dans la seule main d'une fillette l'incitèrent à boucler sa grande gueule. Il allait donc faire une démonstration de plat ventre, lorsqu'un gérant, plus con encore, s'avisa d'intervindre. Il fit aussitôt son numéro de charme.

— De couaille, de couaille, qu'il pépia, des étrangers qui se permettent de causer cuisine? Bin merde alors, i sont culottés les touristes st'année. I vont peut-être se mettre à prétendre qu'i s'y connaissent en bectance, les enfouarés.

Il interpella quelques-uns d'entre eux (gestes).

— Non mais dites donc, vous croyez comme ça qu'on a fait

plusieurs guerres victorieuses pour que vous veniez cracher sur nos bombes glacées ? Vous croyez qu'on cultive à la sueur de nos fronts le gros rouge et l'alcool à brûler pour que vous veniez les déblatérer au profit de vos saloperies de cocacola ou de chianti ? Tas de feignants, tandis que vous pratiquiez encore le cannibalisme en suçant la moelle des os de vos ennemis charcutés, nos ancêtres les Croisés préparaient déjà le biftèque pommes frites avant même que Parmentier ait découvert la pomme de terre, sans parler du boudin zaricos verts que vzavez jamais zétés foutus de fabriquer. Ça vous plaît pas ? Non ? Comme si vous y connaissiez quelque chose !

Il reprit sa respiration pour continuer en ces termes polis :

— C'est p-têtt le prix qui vous fait faire cette gueule-là ? 1 sont pourtant bin nonnêtes, nos prix. Vous vous rendez pas compte, tas de radins. Avec quoi qu'il ne paierait pas ses impôts, le patron, s'il ne tenait pas compte de tous vos dollars que vous savez pas quoi en faire.

— T'as fini de déconner ? demanda Gabriel.

Le gérant pousse un cri de rage.

— Et ça prétend causer le français, qu'il se met à hurler.

Il se tourna vers le vicieux loufiat et lui communiqua ses impressions :

— Non mais t'entends cette grossière merde qui se permet de m'adresser la parole en notre dialecte. Si c'est pas écœurant…

— I cause pas mal pourtant, dit le vicieux loufiat qu'avait peur de recevoir des coups.

3590 — Traître, dit le gérant exacerbé, hagard et trémulant[1].

— Qu'est-ce que t'attends pour lui casser la gueule ? demanda Zazie à Gabriel.

— Chtt, fit Gabriel.

— Tordez-y donc les parties viriles, dit la veuve Mouaque, ça 3595 lui apprendra à vivre.

— Je veux pas voir ça, dit Trouscaillon qui verdit. Pendant que vous opérerez, je m'absenterai le temps qu'il faut. J'ai justement un coup de bigophone à passer à la Préfectance.

Le vicieux loufiat d'un coup de coude dans le bide du gérant 3600 souligna le propos du client. Le vent tourna.

— Ceci dit, commença le gérant, ceci dit, que désire mademoiselle ?

— Le truc que vous me servez là, dit Zazie, c'est tout simplement de la merde.

3605 — Y a eu erreur, dit le gérant, avec un bon sourire, y a eu erreur, c'était pour la table à côté, pour les voyageurs.

— I sont avec nous, dit Gabriel.

— Vous inquiétez pas, dit le gérant d'un air complice, je trouverai bien à la replacer ma choucroute. Qu'est-ce que vous dési-3610 rez à la place, mademoiselle ?

— Une autre choucroute.

— Une autre choucroute ?

— Oui, dit Zazie, une autre choucroute.

1. Tremblant.

— C'est que, dit le gérant, l'autre sera pas meilleure que celle-là. Je vous dis ça tout de suite pour que ça recommence _3615 pas, vos réclamations.

— Somme toute, y a que de la chose à manger dans votre établissement ?

— Pour vous servir, dit le gérant. Ah si y avait pas les impôts (soupir). _3620

— Miam miam, dit un voyageur en dégustant le fin fond de son assiette de choucroute.

D'un geste, il signifia qu'il en revoulait.

— Là, dit le gérant triomphalement.

Et l'assiette de Zazie que le vicieux loufiat venait juste d'enle- _3625 ver réapparut en face du boulimique.

— Comme je vois que vous êtes des connaisseurs, continua le gérant, je vous conseille de prendre notre cornède bif nature. Et j'ouvrirai la boîte devant vous.

— Il a mis du temps pour comprendre, dit Zazie. _3630

Humilié, l'autre s'éloignait. Gabriel, bonne âme, pour le consoler, lui demanda :

— Et votre grenadine ? Elle est bonne, votre grenadine ?

13

Mado Ptits-pieds regarda le téléphone sonner pendant trois
3635 secondes, puis à la quatrième entreprit d'écouter ce qui
se passait à l'autre bout. Ayant descendu l'instrument de son
perchoir, elle l'entendit aussitôt emprunter la voix de Gabriel
qui lui déclarait qu'il avait deux mots à dire à sa ménagère.

— Et fonce, qu'il ajouta.

3640 — Je peux pas, dit Mado Ptits-pieds, je suis toute seule, msieu
Turandot n'est pas là.

— Tu causes, dit Laverdure, tu causes, c'est tout ce que tu sais
faire.

— Eh conne, dit la voix de Gabriel, si y a personne tu boucles
3645 la lourde, si y a quelqu'un tu le fous dehors. T'as compris, fleur
de nave[1] ?

— Oui, msieu Gabriel.

Et elle raccrocha. C'était pas si simple. Y avait en effet un
client. Elle aurait pu le laisser tout seul d'ailleurs, puisque c'était
3650 Charles et que Charles c'était pas le type à aller fouiner dans

1. Imbécile.

le tiroir-caisse pour y saisir quelque monnaie. Un type honnête, Charles. La preuve, c'est qu'il venait de lui proposer le conjungo[1].

Mado Ptits-pieds avait à peine commencé à réfléchir à ce problème que le téléphone se remettait à sonner. _3655

— Merde, rugit Charles, y a pas moyen d'être tranquille dans ce bordel.

— Tu causes, tu causes, dit Laverdure que la situation énervait, c'est tout ce que tu sais faire.

Mado Ptits-pieds reprit l'écouteur en main, et s'entendit propulser un certain nombre d'adjectifs tous plus désagréables les uns que les autres. _3660

— Raccroche donc pas, sorcière, tu saurais pas où me rappeler. Et fonce donc, t'es toute seule ou y a quelqu'un?

— Y a Charles. _3665

— Qu'est-ce qu'on lui veut à Charles, dit Charles noblement.

— Tu causes, tu causes, c'est tout, dit Laverdure, ce que tu sais faire.

— C'est lui qui gueule comme ça? demanda le téléphone.

— Non, c'est Laverdure. Charles, lui, il me parle marida. _3670

— Ah! il se décide, dit le téléphone avec indifférence. Ça l'empêche pas d'aller chercher Marceline, si toi tu veux pas t'appuyer les escaliers. Il fera bien ça pour toi, le Charles.

— Je vais lui demander, dit Mado Ptits-pieds.

---

1. Mariage (argot).

3675 (un temps)

— I dit qu'i veut pas.

— Pourquoi ?

— Il est fâché contre vous.

— Le con. Dis-y qu'il s'amène au bout du fil.

3680 — Charles, cria Mado Ptits-pieds (geste).

Charles ne dit rien (geste).

Mado s'impatiente (geste).

— Alors ça vient ? demande le téléphone.

— Oui, dit Mado Ptits-pieds (geste).

3685 Finalement Charles, ayant éclusé son verre, s'approche lentement de l'écouteur, puis, arrachant l'appareil des mains de sa peut-être future, il profère ce mot cybernétique :

— Allô.

— C'est toi, Charles ?

3690 — Rrroin.

— Alors fonce et va chercher Marceline que je lui cause, c'est hurgent.

— J'ai d'ordres à recevoir de personne.

— Ah là là, s'agit pas de ça, grouille que je te dis, c'est hurgent.

3695 — Et moi je te dis que j'ai d'ordres à recevoir de personne.

Et il raccroche.

Puis il revint vers le comptoir derrière lequel Mado Ptits-pieds semblait rêver.

— Alors, dit Charles, qu'est-ce que t'en penses ? C'est oui ? c'est 3700 non ?

— Jvous répète, susurra Mado Ptits-pieds, vous mdites ça comme ça, sans prévnir, c'est hun choc, jprévoyais pas, ça dmande réflexion, msieu Charles.

— Comme si t'avais pas déjà réfléchi.

— Oh ! msieu Charles, comme vous êtes squeleptique. _ 3705

La sonnerie du truc-chose se mit de nouveau à téléphonctionner.

— Non mais qu'est-ce qu'il a, qu'est-ce qu'il a.

— Laisse-le donc tomber, dit Charles.

— Faut pas être si dur que ça, c'est quand même un copain. _ 3710

— Ouais, mais la gosse en supplément ça n'arrange rien.

— Y pensez pas à la gamine. À stage-là, c'est du flan.

Comme ça continuait à ronfler, de nouveau Charles se mit au bout du fil de l'appareil décroché.

— Allô, hurla Gabriel. _ 3715

— Rrroin, dit Charles.

— Allez, fais pas lcon. Va, fonce chez Marceline et tu commences à m'emmerder à la fin.

— Tu comprends, dit Charles d'un ton supérieur, tu mdéranges. _ 3720

— Non mais, brâma le téléphone, qu'est-ce qu'i faut pas entendre. T't'déranger toi ? qu'est-ce que tu pourrais branler d'important ?

Charles posa énergiquement sa main sur le fonateur de l'appareil et se tournant vers Mado, lui demanda : _ 3725

— C'est-ti oui ? c'est-ti non ?

— Ti oui, répondit Mado Ptits-pieds en rougissant.

— Bin vrai ?

— (geste).

Charles débloqua le fonateur et communiqua la chose suivante à Gabriel toujours présent à l'autre bout du fil :

— Bin voilà, j'ai une nouvelle à t'annoncer.

— M'en fous. Va me chercher…

— Marceline, je sais.

Puis il fonce à toute vitesse :

— Mado Ptits-pieds et moi, on vient de se fiancer.

— Bonne idée. Au fond j'ai réfléchi, c'est pas la peine…

— T'as compris ce que je t'ai dit ? Mado Ptits-pieds et moi, c'est le marida.

— Si ça te chante. Oui, Marceline, pas la peine qu'elle se dérange. Dis-y seulement que j'emmène la petite au Mont-de-piété pour voir le spectacle. Y a des voyageurs distingués qui m'accompagnent et quelques copains, toute une bande quoi. Alors mon numéro, ça ce soir, je vais le soigner. Autant que Zazie en profite, c'est une vraie chance pour elle. Tiens, et puis c'est vrai, t'as qu'à venir aussi, avec Mado Ptits-pieds, ça vous fera une célébration pour vos fiançailles, non, pas vrai ? Ça s'arrose ça, c'est moi qui paie, et le spectacle en plus. Et puis Turandot, il peut venir aussi, cette andouille, et Laverdure si on croit que ça l'amusera, et Gridoux, faut pas l'oublier, Gridoux. Sacré Gridoux.

Là-dessus, Gabriel raccroche.

Charles laisse pendre l'écouteur au bout de son fil et se tournant vers Mado Ptits-pieds, il entreprit d'énoncer quelque chose de mémorable. _ 3755

— Alors, qu'il dit, ça y est? L'affaire est dans le sac?

— Et comment, dit Madeleine.

— On va se marier, nous deux Madeleine, dit Charles à Turandot qui rentrait.

— Bonne idée, dit Turandot. Je vous offre un réconfortant _ 3760 pour arroser ça. Mais ça m'embête de perdre Mado. Elle travaillait bien.

— Oui mais c'est que je resterai, dit Madeleine. Je m'emmerderais à la maison, le temps qu'il fait le taxi.

— C'est vrai, ça, dit Charles. Au fond, y aura rien de changé, _ 3765 sauf que, quand on tirera un coup, ça sera dans la légalité.

— On finit toujours par se faire une raison, dit Turandot. Qu'est-ce que vous prenez?

— Moi jm'en fous, dit Charles.

— Pour une fois, c'est moi qui vais te servir, dit Turandot _ 3770 galamment à Madeleine en lui tapant sur les fesses ce qu'il n'avait pas coutume de faire en dehors des heures de travail et alors seulement pour réchauffer l'atmosphère.

— Charles, il pourrait prendre un fernet-branca, dit Madeleine. _ 3775

— C'est pas buvable, dit Charles.

— T'en as bien éclusé un verre à midi, fit remarquer Turandot.

— C'est pourtant vrai. Alors pour moi ce sera un beaujolais.

On trinque.

3780 — À vos crampettes[1] légitimes, dit Turandot.

— Merci, répond Charles en s'essuyant la bouche avec sa casquette.

Il ajoute que c'est pas tout ça, faut qu'il aille prévenir Marceline.

3785 — Te fatigue pas, mon chou, dit Madeleine, jvais y aller.

— Qu'est-ce que ça peut lui foutre que tu te maries ou pas ? dit Turandot. Elle attendra bien demain pour le savoir.

— Marceline, dit Charles, c'est encore autre chose. Y a Gabriel qu'a gardé la Zazie avec lui et qui nous invite tous et toi aussi à

3790 venir s'en jeter un en le regardant faire son numéro. S'en jeter un et j'espère bien plusieurs.

— Bin, dit Turandot, t'es pas dégoûté. Tu vas haller dans une boîte de pédales pour célébrer tes fiançailles ? Bin, je le répète, t'es pas dégoûté.

3795 — Tu causes, tu causes, dit Laverdure, c'est tout ce que tu sais faire.

— Vous disputez pas, dit Madeleine, moi jvais prévenir madame Marceline et m'habiller chouette pour faire honneur à notre Gaby.

3800 Elle s'envole. À l'étage second parvenue, sonne à la porte la neuve fiancée. Une porte sonnée d'aussi gracieuse façon ne

1. Relations sexuelles (argot).

peut faire autre chose que s'ouvrir. Aussi la porte en question s'ouvre-t-elle.

— Bonjour, Mado Ptits-pieds, dit doucement Marceline.

— Eh bin voilà, dit Madeleine en reprenant sa respiration laissée un peu à l'abandon dans les spires de l'escalier. _ 3805

— Entrez donc boire un verre de grenadine, dit doucement Marceline en l'interrompant.

— C'est qu'il faut que je m'habille.

— Je ne vous vois point nue, dit doucement Marceline. _ 3810

Madeleine rougit. Marceline dit doucement :

— Et ça n'empêcherait pas le verre de grenadine, n'est-ce pas? Entre femmes...

— Tout de même.

— Vous avez l'air tout émue. _ 3815

— Jviens de me fiancer. Alors vous comprenez.

— Vous n'êtes pas enceinte?

— Pas pour le moment.

— Alors vous ne pouvez pas me refuser un verre de grenadine.

— Ce que vous causez bien. _ 3820

— Je n'y suis pour rien, dit doucement Marceline en baissant les yeux. Entrez donc.

Madeleine susurre encore des politesses confuses et entre. Priée de s'asseoir, elle le fait. La maîtresse de céans va quérir deux verres, une carafe de flotte et un litron de grenadine. Elle verse _ 3825 ce dernier liquide avec précaution, assez largement pour son invitée, juste un doigt pour elle.

— Je me méfie, dit-elle doucement avec un sourire complice.

Puis elle dilue le breuvage qu'elles supent avec des petites mines.

— Et alors? demande doucement Marceline.

— Eh bien, dit Madeleine, meussieu Gabriel a téléphoné qu'il emmenait la petite à sa boîte pour le voir faire son numéro, et nous deux avec, Charles et moi, pour fêter nos fiançailles.

— Parce que c'est Charles?

— Autant lui qu'un autre. Il est sérieux et puis, on se connaît.

Elles continuaient à se sourire.

— Dites-moi, madame Marceline, dit Madeleine, quelle pelure dois-je mettre?

— Bin, dit doucement Marceline, pour des fiançailles, c'est le blanc moyen qui s'impose avec une touche de virginal argenté.

— Pour le virginal, vous rpasserez, dit Madeleine.

— C'est ce qui se fait.

— Même pour une boîte de tapettes?

— Ça ne fait rien à la chose.

— Oui mais oui mais oui mais, si j'en ai pas moi de robe blanc moyen avec une touche de virginal argenté ou même simplement un tailleur deux-pièces salle de bains avec un chemisier porte-jarretelles cuisine, eh! qu'est-ce que je ferai? Non mais, dites-moi dites, qu'est-ce que je ferai?

Marceline baissa la tête en donnant les signes les plus manifestes de la réflexion.

— Alors, qu'elle dit doucement, alors dans ce cas-là pourquoi ne mettriez-vous pas votre veste amarante avec la jupe plissée verte et jaune que je vous ai vue un jour de bal un quatorze juillet. _ 3855

— Vous me l'avez remarquée?

— Mais oui, dit doucement Marceline, je vous l'ai remarquée (silence). Vous étiez ravissante.

— Ça c'est gentil, dit Madeleine. Alors comme ça vous faites attention à moi, des fois? _ 3860

— Mais oui, dit doucement Marceline.

— Passque moi, dit Madeleine, passque moi, je vous trouve si belle.

— Vraiment? demanda Marceline avec douceur.

— Ça oui, répondit Mado avec véhémence, ça vraiment oui. _ 3865 Vous êtes rien bath. Ça me plairait drôlement d'être comme vous. Vzêtes drôlement bien roulée. Et d'une élégance avec ça.

— N'exagérons rien, dit doucement Marceline.

— Si si si, vzêtes rien bath[1]. Pourquoi qu'on vous voit pas plus souvent? (silence). On aimerait vous voir plus souvent. Moi (sou- _ 3870 rire) j'aimerais vous voir plus souvent.

Marceline baissa les yeux et rosit doucement.

— Oui, reprit Madeleine, pourquoi qu'on vous voit pas plus souvent, vous qu'êtes en si rayonnante santé que je me permets de vous le signaler et si belle par-dessus le marché, oui pourquoi? _ 3875

— C'est que je ne suis pas d'humeur tapageuse, répondit doucement Marceline.

---

1. Belle. Terme à la mode dans les années 1950.

— Sans aller jusque-là, vous pourriez…

— N'insistez pas, ma chère, dit Marceline.

Là-dessus, elles demeurèrent silencieuses, penseuses, rêveuses. Le temps coulait pas vite entre elles deux. Elles entendaient au loin, dans les rues, les pneus se dégonfler lentement dans la nuit. Par la fenêtre entrouverte, elles voyaient la lune scintiller sur le gril d'une antenne de tévé en ne faisant que très peu de bruit.

— Il faudrait tout de même que vous alliez vous habiller, dit doucement Marceline, si vous ne voulez pas rater le numéro de Gabriel.

— Faudrait, dit Madeleine. Alors je mets ma veste vert pomme avec la jupe orange et citron du quatorze juillet?

— C'est ça.

(un temps)

— Tout de même, ça me fait triste de vous laisser toute seule, dit Madeleine.

— Mais non, dit Marceline. J'y suis habituée.

— Tout de même.

Elles se levèrent ensemble d'un même mouvement.

— Eh bien, puisque c'est comme ça, dit Madeleine, je vais m'habiller.

— Vous serez ravissante, dit Marceline en s'approchant doucement.

Madeleine la regarde dans les yeux.

On cogne à la porte.

— Alors ça vient? qu'il crie Charles.

14

Le bahut s'emplit et Charles démarra. Turandot s'assit à côté de lui, Madeleine dans le fond, entre Gridoux et Laverdure.

Madeleine considéra le perroquet pour demander ensuite à la ronde :

— Vous croyez que le spectacle va l'amuser ?

— T'en fais pas, dit Turandot qui avait poussé la vitre de séparation pour entendre ce qui se raconterait derrière lui, tu sais bien qu'il s'amuse à son idée, quand il en a envie. Alors pourquoi pas en regardant Gabriel ?

— Ces bêtes-là, déclara Gridoux, on sait jamais ce qu'elles gambergent.

— Tu causes, tu causes, dit Laverdure, c'est tout ce que tu sais faire.

— Vous voyez, dit Gridoux, ils entravent plus qu'on croit généralement.

— Ça c'est vrai, approuva Madeleine avec fougue. C'est rudement vrai, ça. D'ailleurs nous, est-ce qu'on entrave vraiment kouak ce soit à kouak ce soit ?

— Koua à koua ? demanda Turandot.

— À la vie. Parfois on dirait un rêve.

— C'est des choses qu'on dit quand on va se marier.

3925 Et Turandot donne une claque sonore sur la cuisse de Charles au risque de faire charluter le taxi.

— Me fais pas chier, dit Charles.

— Non, dit Madeleine, c'est pas ça, je pensais pas seulement au marida, je pensais comme ça.

3930 — C'est la seule façon, dit Gridoux d'un ton connaisseur.

— La seule façon de quoi ?

— De ce que tu as dit.

(silence)

— Quelle colique que l'egzistence, reprit Madeleine (soupir).

3935 — Mais non, dit Gridoux, mais non.

— Tu causes, tu causes, dit Laverdure, c'est tout ce que tu sais faire.

— Quand même, dit Gridoux, il change pas souvent son disque, celui-là.

3940 — Tu insinues peut-être qu'il est pas doué ? cria Turandot par-dessus son épaule.

Charles, que Laverdure n'avait jamais beaucoup intéressé, se pencha vers son propriétaire pour lui glisser à mi-voix :

— Dmanddzi si ça colle toujours le marida.

3945 — À qui je demande ça ? À Laverdure ?

— Te fais pas plus con qu'un autre.

— On peut plus plaisanter, alors, dit Turandot d'une voix émolliente.

Et il cria par-dessus son épaule :

— Mado Ptits-pieds ! _ 3950

— La vlà, dit Madeleine.

— Charles demande si tu veux toujours de lui pour époux.

— Voui, répondit Madeleine d'une voix ferme.

Turandot se tourna vers Charles et lui demanda :

— Tu veux toujours de Mado Ptits-pieds pour épouse ? _ 3955

— Voui, répondit Charles d'une voix ferme.

— Alors, dit Turandot d'une voix non moins ferme, je vous déclare unis par les liens du mariage.

— Amen, dit Gridoux.

— C'est idiot, dit Madeleine furieuse, c'est une blague idiote. _ 3960

— Pourquoi ? demanda Turandot. Tu veux ou tu veux pas ? Faudrait s'entendre.

— C'était la plaisanterie qu'était pas drôle.

— Je plaisantais pas. Ça fait longtemps que je vous souhaite unis, vous deux Charles. _ 3965

— Mêlez-vous de vos fesses, msieu Turandot.

— Elle a eu le dernier mot, dit Charles placidement. Nous y vlà. Tout le monde descend. Je vais ranger ma voiture et je reviens.

— Tant mieux, dit Turandot, je commençais à avoir le torticolis. Tu m'en veux pas ? _ 3970

— Mais non, dit Madeleine, vzêtes trop con pour qu'on puisse vous en vouloir.

Un amiral en grand uniforme vint ouvrir les portières.

3975 Il s'esclama.

— Oh la mignonne, qu'il fit en apercevant le perroquet. Elle en est, elle aussi ?

Laverdure râla :

— Tu causes, tu causes, c'est tout ce que tu sais faire.

3980 — Eh bien, dit l'amiral, on dirait qu'elle en veut.

Et aux nouveaux venus :

— C'est vous les invités de Gabriella ? Ça se voit du premier coup d'œil.

— Dis donc eh lope[1], dit Turandot, sois pas insolent.

3985 — Et ça aussi, ça veut voir Gabriella ?

Il regardait le perroquet avec l'air d'avoir l'air d'avoir le cœur soulevé de dégoût.

— Ça te dérange ? demanda Turandot.

— Quelque peu, répondit l'amiral. Ce genre de bestiau me 3990 donne des complexes.

— Faut voir un psittaco-analyste, dit Gridoux.

— J'ai déjà essayé d'analyser mes rêves, répondit l'amiral, mais ils sont moches. Ça donne rien.

— De quoi rêvez-vous ? demanda Gridoux.

3995 — De nourrices.

— Quel dégueulasse, dit Turandot qui voulait badiner.

Charles avait trouvé une place pour garer sa tire.

— Alors quoi, dit Charles, vzêtes pas encore entrés ?

1. Homosexuel (injure).

— En voilà une méchante, dit l'amiral.

— J'aime pas qu'on plaisante avec moi, dit le taximane.

— J'en prends note, dit l'amiral.

— Tu causes, tu causes, dit Laverdure…

— Vous en faites un sainfoin, dit Gabriel apparu. Entrez donc. Ayez pas peur. La clientèle est pas encore arrivée. Y a que les voyageurs. Et Zazie. Entrez donc. Entrez donc. Tout à l'heure, vous allez drôlement vous marer.

— Pourquoi que spécialement tu nous as dit de venir ce soir ? demanda Turandot.

— Vous qui, continua Gridoux, jetiez le voile pudique de l'ostracisme sur la circonscription de vos activités[1].

— Et qui, ajouta Madeleine, n'avez jamais voulu que nous vous admirassassions dans l'exercice de votre art.

— Oui, dit Laverdure, nous ne comprenons pas le hic de ce nunc, ni le quid de ce quod.

Négligeant l'intervention du perroquet, Gabriel répondit en ces termes à ses précédents interlocuteurs.

— Pourquoi ? Vous me demandez pourquoi ? Ah, l'étrange question lorsqu'on ne sait qui que quoi y répondre soi-même. Pourquoi ? Oui, pourquoi ? vous me demandez pourquoi ? Oh ! laissez-moi, en cet instant si doux, évoquer cette fusion de l'existence et du presque pourquoi qui s'opère dans les creusets du nantissement et des arrhes. Pourquoi pourquoi pourquoi, vous

1. L'ostracisme, c'est le fait de tenir quelqu'un à l'écart. Gabriel a l'habitude de tenir ses voisins à l'écart de ses activités nocturnes.

me demandez pourquoi? Eh bien, n'entendez-vous pas frissonner les gloxinias[1] le long des épithalames[2]?

4025 — C'est pour nous que tu dis ça? demanda Charles qui faisait souvent les mots croisés.

— Non, du tout, répondit Gabriel. Mais, regardez! Regardez!

Un rideau de velours rouge se magnifiquement divisa selon une ligne médiane laissant apparaître aux yeux des visiteurs 4030 émerveillés le bar, les tables, le podium et la piste du Mont-de-piété, la plus célèbre de toutes les boîtes de tantes de la capitale, et c'est pas ça qui manque, asteure encore seulement et faiblement animée par la présence aberrante et légèrement anormale des disciples du cicéron Gabriel au milieu desquels trônait et 4035 pérorait l'enfant Zazie.

— Faites place, nobles étrangers, leur dit Gabriel.

Ayant toute confiance en lui, ils se remuèrent pour permettre aux nouveaux venus de s'insérer au milieu d'eux. Le mélange opéré, on installa Laverdure au bout d'une table. Il manifesta 4040 sa satisfaction en foutant des graines de soleil un peu partout autour de lui.

Un Écossaise, simple loufiat attaché à l'établissement, considéra le personnage et fit part à haute voix de son opinion.

— Y a des cinglés tout de même, qu'il déclara. Moi, la terre 4045 verte…

1. Plantes tropicales.
2. Poème écrit pour un mariage. Voir *Les mots ont une histoire*, p. 242.

— Grosse fiotte, dit Turandot. Si tu te crois raisonnable avec ta jupette.

— Laisse-le tranquille, dit Gabriel, c'est son instrument de travail. Quant à Laverdure, ajouta-t-il pour l'Écossaise, c'est moi qui lui ai dit de venir, alors tu vas la boucler et garder tes réflexions pour ta personne.

— Ça c'est causer, dit Turandot en dévisageant l'Écossaise d'un air victorieux. Et avec ça, ajouta-t-il, qu'est-ce qu'on nous offre ? Du champagne, ou quoi ?

— Ici c'est obligatoire, dit l'Écossaise. À moins que vous preniez le ouisqui. Si vous savez ce que c'est.

— Imdemande ça, s'esclama Turandot, à moi qui suis dans la limonade !

— Fallait le dire, dit l'Écossaise en brossant sa jupette du revers de la main.

— Eh bien gy, dit Gabriel, apporte-nous la bibine gazeuse de l'établissement.

— Combien de bouteilles ?

— Ça dépend du prix, dit Turandot.

— Puisque je te dis que c'est moi qui régale, dit Gabriel.

— Je défendais tes intérêts, dit Turandot.

— Ce qu'elle est près de ses sous, remarqua l'Écossaise en pinçant l'oreille du cafetier et en s'éloignant aussitôt. J'en apporterai une grosse.

— Une grosse quoi ? demanda Zazie en se mêlant tout à coup à la conversation.

— I veut dire douze douzaines de bouteilles, espliqua Gabriel qui voit grand.

Zazie daigna s'occuper alors des nouveaux arrivants.

— Eh, l'homme au taxi, qu'elle dit à Charles, paraît qu'on se marie ?

— Paraît, répondit succinctement Charles.

— En fin de compte, vous avez trouvé quelqu'un à vott goût.

Zazie se pencha pour regarder Madeleine.

— C'est elle ?

— Bonjour, mademoiselle, dit aimablement Madeleine.

— Salut, dit Zazie.

Elle se tourna du côté de la veuve Mouaque pour l'affranchir.

— Ces deux-là, qu'elle lui dit en désignant du doigt les personnes en cause, ils se marient.

— Oh ! que c'est émouvant, s'esclama la veuve Mouaque. Et mon pauvre Trouscaillon qu'est peut-être en train d'attraper un mauvais coup, par cette nuit noire. Enfin (soupir), il a choisi ce métier-là (silence). Ce serait comique si je devenais veuve une seconde fois avant même d'être mariée.

Elle eut un petit rire perçant.

— Qui c'est, cette dingue ? demanda Turandot à Gabriel.

— Sais pas. Depuis staprès-midi, elle nous colle aux chausses avec un flicard qu'elle a récolté en chemin.

— Lequel c'est, le flicard ?

— Il est allé faire un tour.

— Ça me plaît pas, cette compagnie, dit Charles.

— Oui, dit Turandot. C'est pas sain.

— Vous en faites pas, dit Gabriel. Vous vous inquiétez pour un rien. Tenez, vlà la bibine. Hourra ! Gobergez-vous, amis et voyageurs, et toi, nièce chérie, et vous, tendres fiancés. C'est vrai ! faut pas les oublier, les fiancés. Un tôste ! Un tôste pour les fiancés !

Les voyageurs, attendris, chantèrent en chœur apibeursdè touillou et quelques serviteurs écossaises, émus, écrasèrent la larme qui leur aurait gâché leur rimmel.

Puis Gabriel tapa sur un verre avec un estracteur de gaz et l'attention générale aussitôt obtenue, car tel était son prestige, il s'assit à califourchon sur une chaise et dit :

— Alors, mes agneaux et vous mes brebis mesdames, vous allez enfin avoir un aperçu de mes talents. Depuis longtemps certes vous savez, et quelques-uns d'entre vous ne l'ignorent plus depuis peu, que j'ai fait de l'art chorégraphique le pis principal de la mamelle de mes revenus. Il faut bien vivre, n'est-ce pas ? Et de quoi vit-on ? je vous le demande. De l'air du temps bien sûr – du moins en partie, dirai-je, et l'on en meurt aussi – mais plus capitalement de cette substantifique moelle qu'est le fric. Ce produit mellifluent, sapide et polygène s'évapore avec la plus grande facilité cependant qu'il ne s'acquiert qu'à la sueur de son front du moins chez les esploités de ce monde dont je suis et dont le premier se prénomme Adam que les Élohim tyrannisèrent comme chacun sait. Bien que sa planque en Éden ne semble pas onéreuse pour eux aux yeux et selon le jugement des humains actuels, ils l'envoyèrent aux colonies gratter le sol pour y faire pousser le pamplemousse tandis qu'ils interdisaient aux hypnotiseurs d'aider la conjointe dans ses parturitions et qu'ils obligeaient les ophidiens à mettre leurs jambes à leur cou. Billevesées, bagatelles et bibleries de mes deux. Quoi qu'il en soit j'ai oint la jointure de mes genoux avec la dite sueur de mon front et c'est ainsi qu'édénique et adamiaque, je gagne ma croûte. Vous allez me voir en action dans quelques instants, mais attention ! ne vous y trompez pas, ce n'est pas du simple sliptize que je vous présenterai, mais de l'art ! De l'art avec un grand a, faites bien gaffe ! De l'art en quatre lettres, et les mots de quatre lettres sont incontestablement supérieurs et aux mots de trois lettres qui charrient tant de grossièretés à travers le majestueux courant de la langue française, et aux mots de cinq qui n'en véhiculent pas moins. Arrivé au terme de mon discours, il ne me reste plus qu'à vous manifester toute ma gratitude et toute ma reconnaissance pour les applaudissements innombrables que vous ferez crépiter en mon honneur et pour ma plus grande gloire. Merci ! D'avance, merci ! Encore une fois, merci !

Et, se levant d'un bond avec une souplesse aussi singulière qu'inattendue, le colosse fit quelques entrechats en agitant ses mains derrière ses omoplates pour simuler le vol du papillon.

Cet aperçu de son talent suscita chez les voyageurs un enthousiasme considérable.

— Go, femme[1], qu'ils s'écrièrent pour l'encourager.

---

1. Jeu de mots entre « *home* » et « homme ». *Go home* signifie « rentrer au foyer ».

— Va hi, hurla Turandot qui n'avait jamais bu d'aussi bonne bibine.

— Oh ! la bruyante, dit un serviteur écossaise. _ 4150

Tandis que de nouveaux clients arrivaient par grappes, déversés par les autocars familiers de ces lieux, Gabriel brusquement, revenait s'asseoir, l'air sinistre.

— Ça ne va pas, meussieu Gabriel ? demanda gentiment Madeleine. _ 4155

— J'ai le trac.

— Coyon, dit Charles.

— C'est bien ma veine, dit Zazie.

— Tu vas pas nous faire ça, dit Turandot.

— Tu causes, tu causes, dit Laverdure, c'est tout ce que tu sais _ 4160 faire.

— Elle a de l'à-propos, cette bête, dit un serviteur écossaise.

— Te laisse pas impressionner, Gaby, dit Turandot.

— Imagine-toi qu'on est des gens comme les autres, dit Zazie.

— Pour me faire plaisir, dit la veuve Mouaque en minaudant. _ 4165

— Vous, dit Gabriel, je vous emmerde. Non, mes amis, ajouta-t-il à l'intention des autres, non, c'est pas seulement ça (soupir) (silence), mais j'aurais tellement aimé que Marceline puisse m'admirer, elle aussi.

On annonçait que le spectacle allait commencer par une _ 4170 caromba dansée par des Martiniquais tout à fait chous.

15

Marceline s'était endormie dans un fauteuil. Quelque chose la réveilla. Elle regarda l'heure d'un œil clignotant, n'en tira aucune conclusion spéciale et, enfin, comprit que l'on
4175 toquait à la porte, très discrètement.

Elle éteignit aussitôt la lumière et ne bougea pas. Ça ne pouvait pas être Gabriel parce que quand il rentrerait avec les autres, ils feraient naturellement un chabanais[1] à réveiller le quartier. C'était pas non plus la police, vu que le soleil n'était pas encore
4180 levé. Quant à l'hypothèse d'un casseur convoitant les éconocroques à Gabriel, elle prêtait à sourire.

Il y eut un silence, puis on se mit à tourner la poignée. Ceci ne donnant aucun résultat, on se mit à trifouiller dans la serrure. Ça dura un certain temps. Il est pas trop calé, se dit Marceline.
4185 La porte finalement s'ouvrit.

Le type n'entra pas tout de suite. Marceline respirait si faiblement et astucieusement que l'autre ne devait pas pouvoir l'entendre.

1. Tapage (argot).

Enfin il fit un pas. Il tâtonnait en cherchant le commutateur. Il parvint à le trouver et la lumière se fit dans le vestibule.

Marceline reconnut tout de suite la silhouette du type : c'était le soi-disant Pédro-surplus. Mais lorsqu'il eut allumé dans la pièce où elle se trouvait, Marceline crut s'être trompée car le personnage présent ne portait ni bacchantes ni verres fumés.

Il tenait ses chaussures à la main et souriait.

— Je vous fous la trouille, hein ? qu'il demanda galamment.

— Nenni, répondit doucement Marceline.

Et tandis que, s'étant assis, il remettait en silence ses tatanes, elle constata qu'elle n'avait pas commis d'erreur dans sa première identification. C'était bien le type que Gabriel avait jeté dans l'escalier.

Une fois chaussé, il regarda de nouveau Marceline en souriant.

— Cette fois-ci, qu'il dit, j'accepterais bien un verre de grenadine.

— Pourquoi « cette fois-ci » ? demanda Marceline, en roulant les derniers mots de sa question entre des guillemets.

— Vous ne me reconnaissez pas ?

Marceline hésita, puis en convint (geste).

— Vous vous demandez ce que je viens faire ici à une pareille heure ?

— Vous êtes un fin psychologue, meussieu Pédro.

— Meussieu Pédro ? Pourquoi ça « meussieu Pédro » ? demanda le type très intrigué, en agrémentant meussieu Pédro de quelques guillemets.

4215 — Parce que c'est comme ça que vous vous appeliez ce matin, répondit doucement Marceline

— Ah oui ? fit le type d'un air désinvolte. J'avais oublié. (silence)

— Eh bien ? reprit-il, vous ne me demandez pas ce que je viens 4220 faire ici à pareille heure ?

— Non, je ne vous le demande pas.

— C'est malheureux, dit le type, parce que je vous aurais répondu que je suis venu pour accepter l'offre d'un verre de grenadine.

4225 Marceline s'adressa silencieusement la parole à elle-même pour se communiquer la réflexion suivante :

— Il a envie que je lui dise que c'est idiot, son prétexte, mais je ne lui ferai pas ce plaisir, ah mais non.

Le type regarde autour de lui.

4230 — C'est là-dedans (geste) que ça se trouve ?

Il désigne le buffet genre hideux.

Comme Marceline ne répond pas, il hausse les épaules, se lève, ouvre le meuble, sort la bouteille et deux verres.

— Vous en prendrez bien un peu ? qu'il propose.

4235 — Ça m'empêcherait de dormir, répond doucement Marceline.

Le type n'insiste pas. Il boit.

— C'est vraiment dégueulasse, qu'il remarque incidemment.

Marceline, elle, ne fait aucun commentaire.

— Ils sont pas encore rentrés ? demande le type juste pour dire 4240 quelque chose.

— Vous le voyez bien. Sans ça vous seriez déjà en bas.

— Gabriella, fait le type rêveusement (un temps). Marant (un temps). Positivement marant.

Il finit son verre.

— Pouah, murmure-t-il. _ 4245

Il y a de nouveau du silence dans l'air.

Enfin le type se décide.

— Voilà, qu'il dit, j'ai un certain nombre de questions à vous poser.

— Posez, dit doucement Marceline, mais je n'y répondrai pas. _ 4250

— Il faut, dit le type. Je suis l'inspecteur Bertin Poirée[1].

Ça fait rire Marceline.

— Voilà ma carte, dit le type vexé.

Et, de loin, il la montre à Marceline.

— Elle est fausse, dit Marceline. Ça se voit au premier coup _ 4255 d'œil. Et puis si vous étiez un véritable inspecteur, vous sauriez qu'on ne mène pas une enquête comme ça. Vous ne vous êtes même pas donné la peine de lire un roman policier, un français bien sûr, où vous l'auriez appris. Y a de quoi vous faire casser : effraction de serrure, violation de domicile… _ 4260

— Et peut-être violation d'autre chose.

— Pardon ? demanda doucement Marceline.

— Bin voilà, dit le type, j'ai un sacré béguin pour vous. Dès que je vous ai vue, je me suis dit : je pourrais plus vivre sur

1. Bertin-Poirée est le nom d'une rue de Paris.

cette terre si je ne me la farcis pas un jour ou l'autre, alors je me suis ajouté : autant que ça soye le plus vite possible. Je peux pas attendre, moi. Je suis un impatient : c'est mon caractère. Alors donc je me suis dit : ce soir, j'aurai ma chance puisqu'elle, la divine – c'est vous – sera toute seulette dans son nid, vu que tout le reste de la maisonnée cet imbécile de Turandot compris iront au Mont-de-piété pour admirer les gambades de Gabriella. Gabriella ! (silence). Marant (silence). Positivement marant.

— Comment savez-vous tout ça ?

— Parce que je suis l'inspecteur Bertin Poirée.

— Vous charriez nettement, dit Marceline en changeant brusquement de vocabulaire. Avouez que vous êtes un faux flic.

— Vous croyez qu'un flic – comme vous dites – peut pas être amoureux ?

— Alors vous êtes trop con.

— Y a des flics qui sont pas bien forts.

— Mais vous, vous êtes gratiné.

— Alors, c'est tout l'effet que ça vous fait ma déclaration ? Ma déclaration d'amour ?

— Vous ne vous imaginez tout de même pas que je vais m'allonger comme ça : à la demande.

— Je pense sincèrement que mon charme personnel ne vous laissera pas indifférente, finalement.

— Qu'est-ce qu'il ne faut pas entendre !

— Vous verrez. Un bout de conversation, et mon pouvoir séducteur opérera.

— Et s'il opère pas ?

— Alors je vous saute dessus. Aussi sec.

— Eh bien, allez-y. Essayez.

— Oh j'ai le temps. C'est seulement en dernier recours que j'utiliserai ce moyen que ma conscience n'approuve pas entièrement, faut dire.

— Vous devriez vous presser. Gabriel va bientôt rentrer maintenant.

— Oh non. Ce soir, c'est un coup de six heures du matin.

— Pauvre Zazie, dit doucement Marceline, elle va être bien fatiguée, elle qui doit reprendre le train à six heures soixante.

— On s'en fout de Zazie. Les gosselines, ça m'écœure, c'est aigrelet, beuhh. Tandis qu'une belle personne comme vous… crénom.

— N'empêche que ce matin vous lui couriez aux trousses, à cette pauvre petite.

— On peut pas dire. C'est moi qui vous l'ai ramenée. Et puis je ne faisais que commencer ma journée. Mais lorsque je vous ai vue…

Le visiteur du soir regarda Marceline en se donnant un air de grande mélancolie, puis il saisit énergiquement la bouteille de grenadine pour emplir de ce breuvage un verre dont il avala le contenu, en reposant sur la table la partie incomestible, comme on fait de l'os de la côtelette ou de l'arête de la sole.

— Beuouahh, fit-il en déglutissant la boisson qu'il avait lui-même élue et à laquelle il venait de faire subir le traitement expéditif dont est coutumière la vodka.

Il essuya ses lèvres gluantes avec le revers de sa main (gauche) et, sur ce, commença la séance de charme annoncée.

— Moi, qu'il dit comme ça, je suis un volage. La mouflette cambrousarde, elle m'intéressait pas malgré ses histoires meurtrières. Je vous parle là de la matinée. Mais, dans la journée, voilà-t-il pas que je tombe une rombière de la haute, à première vision. La baronne Mouaque. Une veuve. Elle m'a dans l'épiderme. En cinq minutes, sa vie était chamboulée. Faut dire qu'à ce moment-là j'étais revêtu de mes plus beaux atours d'agent de la circulation. J'adore ça. Je m'amuse avec cet uniforme, vous pouvez pas vous en faire une idée. Ma plus grande joie, c'est de siffler un taxi et de monter dedans. Le cancrelat au volant, il en revient pas. Et je me fais ramener chez moi. Soufflé, le cancrelat (silence). Peut-être me trouvez-vous un peu snob?

— Chacun ses goûts.

— Je ne vous charme toujours pas?

— Non.

Bertin Poirée toussota deux trois coups, puis reprit en ces termes :

— Faut que je vous raconte comment je l'ai rencontrée, la veuve.

— On s'en fout, dit doucement Marceline.

— En tout cas, je l'ai fourguée au Mont-de-piété. Moi, les évolutions de Gabriella (Gabriella!), vous pensez si ça me laisse terne. Tandis que vous… vous me faites briller.

— Oh! meussieu Pédro-surplus, vous n'avez pas honte?

— Honte… honte… c'est vite dit. Est-on délicat lorsqu'on jase? (un temps) Et puis, ne m'appelez pas Pédro-surplus. Ça m'agace. C'est un blase[1] que j'ai inventé sur l'instant, comme ça, à l'intention de Gabriella (Gabriella!), mais j'y suis pas habitué, je l'ai jamais utilisé. Tandis que j'en ai d'autres qui me conviennent parfaitement. _ 4345

— Comme Bertin Poirée?

— Par egzemple. Ou bien encore celui que j'adopte lorsque je me vêts en agent de police (silence). _ 4350

Il parut inquiet.

— Je me vêts, répéta-t-il douloureusement. C'est français ça : je me vêts? Je m'en vais, oui, mais : je me vêts? Qu'est-ce que vous en pensez, ma toute belle?

— Eh bien, allez-vous-en. _ 4355

— Ça n'est pas du tout dans mes intentions. Donc, lorsque je me vêts…

— Déguise…

— Mais non! pas du tout!! ce n'est pas un déguisement!!! qu'est-ce qui vous a dit que je n'étais pas un véritable flic? _ 4360

Marceline haussa les épaules.

— Eh bien vêtez-vous.

— Vêtissez-vous, ma toute belle. On dit : vêtissez-vous.

Marceline s'esclaffa.

— Vêtissez-vous! vêtissez-vous! Mais vous êtes nul. On dit : vêtez-vous. _ 4365

1. Nom.

— Vous ne me ferez jamais croire ça.

Il avait l'air vexé.

— Regardez dans le dictionnaire.

4370 — Un dictionnaire ? mais j'en ai pas sur moi de dictionnaire. Ni même à la maison. Si vous croyez que j'ai le temps de lire. Avec toutes mes occupations.

— Y en a un là-bas (geste).

— Fichtre, dit-il impressionné. C'est que vous êtes en plus une

4375 intellectuelle.

Mais il bougeait pas.

— Vous voulez que j'aille le chercher ? demanda doucement Marceline.

— Non, j'y vêts.

4380 L'air méfiant, il alla prendre le livre sur une étagère en s'efforçant de ne pas perdre de vue Marceline. Puis, revenu avec le bouquin, il se mit à le consulter péniblement et s'absorba complètement dans ce travail.

— Voyons voir... vésubie... vésuve... vetter... véturie, mère

4385 de Coriolan... ça y est pas.

— C'est avant les feuilles roses qu'il faut regarder.

— Et qu'est-ce qu'il y a dans les feuilles roses ? des cochonneries, je parie... j'avais pas tort, c'est en latin... « fèr' ghiss ma-inn nich't'[1], veritas odium ponit[2], victis honos[3]... », ça y est pas non plus.

---

1. *Vergiss mein nicht* : phrase allemande qui signifie « ne m'oubliez pas ».
2. *Veritas odium parit* : phrase latine qui signifie « la vérité engendre la haine ».
3. *Victis honos* : phrase latine qui signifie « honneur aux vaincus ».

— Je vous ai dit : avant les feuilles roses. 4390

— Merde, c'est d'un compliqué… Ah ! enfin, des mots que tout le monde connaît… vestalat… vésulien… vétilleux… euse… ça y est ! Le voilà ! Et en haut d'une page encore. Vêtir. Y a même un accent circonchose. Oui : vêtir. Je vêts… là, vous voyez si je m'esprimais bien tout à l'heure. Tu vêts, il vêt, nous 4395 vêtons, vous vêtez… vous vêtez… c'est pourtant vrai… vous vêtez… marant… positivement marant… Tiens… Et dévêtir ?… regardons dévêtir… voyons voir… déversement… déversoir… dévêtir… Le vlà. Dévêtir vé té se conje comme vêtir. On dit donc dévêtez-vous. Eh bien, hurla-t-il brusquement, eh bien, ma toute 4400 belle, dévêtez-vous ! Et en vitesse ! À poil ! à poil !

Et ses yeux étaient injectés de sang. Et d'autant plus d'ailleurs que Marceline s'était totalement non moins que brusquement éclipsée.

S'aidant des harpes[1] le long de la descente, une valoche à la 4405 main, elle se déplaçait le long du mur avec la plus grande aisance et n'avait plus qu'un petit saut de trois mètres et quelques pour terminer son itinéraire.

Elle disparut au coin de la rue.

1. Pierres saillantes sur la façade.

16

4410 Trouscaillon avait de nouveau revêtu son uniforme de flicmane. Sur la petite place non loin du Mont-de-piété, il attendait, mélancolieux, la fermeture de cet établissement. Il regardait pensivement (semblait-il) un groupe de clochards qui dormaient sur le gril d'un puits de métro, goûtant la tiédeur méditerra-
4415 néenne que dispense cette bouche et qu'une grève n'avait pas suffi à rafraîchir. Il médita quelques instants ainsi sur la fragilité des choses humaines et sur les projets des souris qui n'aboutissent pas plus que ceux des anthropoïdes, puis il se prit à envier – quelques instants seulement, faut pas egzagérer – le sort de ces déshérités,
4420 déshérités peut-être mais libérés du poids des servitudes sociales et des conventions mondaines. Trouscaillon soupira.

Un sanglot pire lui fit écho, ce qui porta le trouble dans la rêverie trouscaillonne. Kèss kèss kèss, se dit la rêverie trouscaillonne en revêtant à son tour l'uniforme de flicmane et, en faisant
4425 le tour de l'ombre d'un œil minutieux, elle découvrit l'origine de l'intervention sonore en la personne d'un kidan[1] assis coi

1. Un « quidam », c'est un individu quelconque.

sur un banc. Trouscaillon s'en approcha non sans avoir pris les précautions d'usage. Les clochards, eux, continuaient à dormir, en ayant senti passer d'autres.

L'individu prétendait somnoler, ce qui ne rassura pas Trouscaillon mais ne l'empêcha point cependant de lui adresser la parole en ces termes : _ 4430

— Que faites-vous en ces lieux ? Et à une heure si tardive ?

— Est-ce que ça vous regarde ? répondit le dénommé X.

Trouscaillon s'était d'ailleurs posé la même question dans le temps qu'il dévidait les siennes. Oui, en quoi cela le regardait-il ? C'était le métier qui voulait ça, le métier de l'enveloppe, mais, depuis qu'il avait perdu Marceline, il aurait eu tendance à attendrir le cuir de son comportement dans le sperme de ses desiderata. Combattant cette funeste inclination, il poursuivit ainsi la conversation : _ 4435 _ 4440

— Oui, qu'il dit, ça me concerne.

— Alors, dit l'homme, dans ce cas-là, c'est différent.

— M'autorisez-vous donc à de nouveau formuler la proposition interrogative qu'il y a quelques instants j'énonça devant vous ? _ 4445

— J'énonçai, dit l'obscur.

— J'énonçais, dit Trouscaillon.

— J'énonçai sans esse.

— J'énonçai, dit enfin Trouscaillon. Ah ! la grammaire c'est pas mon fort. Et c'est ça qui m'en a joué des tours. Passons. Alors ? _ 4450

— Alors quoi ?

— Ma question.

— Bin, dit l'autre, je l'ai oubliée. Depuis le temps.

— Alors, faut que je recommence ?

— On dirait.

— Quelle fatigue.

Trouscaillon s'abstint de soupirer, craignant une réaction de la part de son interlocuteur.

— Allez, lui dit celui-ci cordialement, faites un petit effort.

Trouscaillon en fit un vache :

— Nom prénoms date de naissance lieu de naissance numéro d'immatriculation de la sécurité sociale numéro de compte en banque livret de caisse d'épargne quittance de loyer quittance d'eau quittance de gaz quittance d'électricité carte hebdomadaire de métro carte hebdomadaire d'autobus facture lévitan[1] prospectus frigidaire trousseau de clé cartes d'alimentation blanc-seing laissez-passer bulle du pape et tutti frutti aboulez-moi sans phrase votre documentation. Et encore j'aborde pas la question automobile carte grise lampion de sûreté passeport international et tutti quanti parce que tout ça, ça doit pas être dans vos moyens.

— Meussieu l'agent, vous voyez le car (geste) là-bas ?

— Oui.

— C'est moi qui le conduis.

---

1. Nom d'un marchand de meubles bien connu dans les années 1950.

— Ah.

— Bin, dites-moi, vous n'êtes pas très fort. Vous m'avez pas encore reconnu?

Trouscaillon, un peu rassuré, alla s'asseoir à côté de lui. _ 4480

— Vous permettez? qu'il demanda.

— Faites donc.

— C'est xa n'est pas très réglementaire.

(silence)

— Il est vrai, reprit Trouscaillon, pour ce qui est du règlement, _ 4485 j'ai nettement charrié aujourd'hui.

— Pépins?

— Noyaux.

(silence)

Trouscaillon ajouta : _ 4490

— À cause des femmes.

(silence)

Trouscaillon poursuivit :

— ... j'ai la confession qui m'étrangle la pipe[1]... la confession... enfin la racontouse, quoi... j'en ai tout de même un bout _ 4495 à dégoiser...

(silence)

— Bien sûr, dit Fédor Balanovitch.

Un moustique vola dans la cônerie[2] de la lueur d'un réverbère.

1. La gorge (argot).
2. Jeu de mots entre « cône » (forme du réverbère) et « connerie ».

Il voulait se réchauffer avant de piquer de nouvelles peaux. Il y réussit. Son corps calciné chut lentement sur l'asphalte jaune.

— Alors allez-y, dit Fédor Balanovitch, sinon c'est moi qui raconte.

— Non, non, dit Trouscaillon, parlons encore un peu de moi.

Après s'être gratté le cuir chevelu d'un ongle rapace et moissonneur, il prononça des mots auxquels il ne manqua pas de donner une certaine teinte d'impartialité et même de noblesse. Ces mots, les voici :

— Je ne vous dirai rien de mon enfance ni de ma jeunesse. De mon éducation, n'en parlons point, je n'en ai pas, et de mon instruction je n'en parlerai guère car j'en ai peu. Sur ce dernier point, voilà qui est fait. J'en arrive donc maintenant à mon service militaire sur lequel je n'insisterai pas. Célibataire depuis mon plus jeune âge, la vie m'a fait ce que je suis.

Il s'interrompit pour rêvasser un brin.

— Eh bin, continuez, dit Fédor Balanovitch. Sans ça je commence.

— Décidément, dit Trouscaillon, ça tourne pas rond… et tout ça à cause de la femme que je rencontra ce matin.

— Que je rencontrai.

— Que je rencontrais.

— Que je rencontrai sans esse.

— Que je rencontrai.

— La rombière que Gabriel traîne après lui ?

— Oh non. Pas celle-là. D'ailleurs celle-là, elle m'a déçu. Elle m'a laissé courir à mes occupations, et quelles occupations, sans même faire des simagrées pour me retenir, tout ce qu'elle voulait, c'est voir danser Gabriella. Gabriella... marant... positivement marant.

— C'est le mot, dit Fédor Balanovitch. Y a rien de comparable au numéro de Gabriel sur la place de Paris et je vous assure que j'en connais un bout sur le bâille-naïte de cette cité.

— Vous en avez de la veine, dit Trouscaillon distraitement.

— Mais je l'ai vu si souvent, le numéro de Gabriel, que maintenant j'en ai soupé, c'est le cas de le dire. Et puis, il ne se renouvelle pas. Les artisses, qu'est-ce que vous voulez, c'est souvent comme ça. Une fois qu'ils ont trouvé un truc, ils l'esploitent à fond. Faut reconnaître qu'on est tous un peu comme ça, chacun dans son genre.

— Moi pas, dit Trouscaillon avec simplicité. Moi, mes trucs, je les varie constamment.

— Parce que vous avez pas encore trouvé le bon. Voilà : vous vous cherchez. Mais une fois que vous aurez obtenu un résultat appréciable, vous vous en tiendrez là. Parce que jusqu'à présent ce que vous avez obtenu comme résultats, ça ne doit pas être bien brillant. Y a qu'à vous regarder : vous avez l'air d'un minable.

— Même avec mon uniforme ?

— Ça n'arrange rien.

Accablé, Trouscaillon se tut.

— Et, reprit Fédor Balanovitch, à quoi ça rime ?

— Je ne sais pas trop. J'attends madame Mouaque.

— Eh bien, moi, j'attends tout simplement mes cons pour les ramener à leur auberge, car ils doivent partir à la première heure pour Gibraltar aux anciens parapets. Tel est leur itinéraire.

— Ils en ont de la veine, murmura Trouscaillon distraitement.

Fédor Balanovitch haussa les épaules et ne daigna pas commenter ce propos.

C'est alors que des clameurs se firent entendre : le Mont-de-piété fermait.

— Pas trop tôt, dit Fédor Balanovitch.

Il se lève et se dirige vers son autocar. Il s'en va comme ça, sans formule de politesse.

Trouscaillon se lève à son tour. Il hésite. Les clochards dorment. Le moustique est mort.

Fédor Balanovitch donne quelques coups de claqueson pour réunir ses agneaux. Ceux-ci se congratulent sur la bonne, l'excellente soirée qu'ils ont passée et charabiaïsent à kimieumieu en voulant transmettre ce message dans la langue autochtone. On se dit adieu. Les éléments féminins veulent embrasser Gabriel, les masculins n'osent pas.

— Un peu moins de ramdam, dit l'amiral.

Les voyageurs montent peu à peu dans le car. Fédor Balanovitch bâille.

Dans sa cage, au bout du bras de Turandot, Laverdure s'est endormi. Zazie résiste courageusement : elle n'imitera pas Laverdure. Charles est allé chercher son bahut.

— Alors, mon coquin, dit la veuve Mouaque en voyant arriver Trouscaillon, vous vous êtes bien amusé ?

— Point de trop, point de trop, dit Trouscaillon. _ 4580

— Nous, ce qu'on a pu se distraire. Meussieu est d'un drôle.

— Merci, dit Gabriel. N'oubliez pas l'art tout de même. Y a pas que la rigolade, y a aussi l'art.

— I sramène pas vite avec son bahut, dit Turandot.

— Elle s'est bien amusée ? demande l'amiral en considérant _ 4585 l'animal le bec sous son aile.

— Ça lui fera des souvenirs, dit Turandot.

Les derniers voyageurs ont regagné leur place. Ils enverront des cartes postales (gestes).

— Ho ho ! crie Gabriel, adios amigos, tchinn tchinn, à la pro- _ 4590 chaine…

Et le car s'éloigne emportant ses étrangers ravis. Le jour même, à la première heure, ils partiront pour Gibraltar aux anciens parapets. Tel est leur itinéraire.

Le taxi de Charles vient se ranger le long du trottoir. _ 4595

— Y a des gens en trop, remarque Zazie.

— Ça n'a aucune importance, dit Gabriel, maintenant on va aller se taper une soupe à l'oignon.

— Merci, dit Charles. Moi, je rentre.

Aussi sec. _ 4600

— Alors, Mado, tu viens ?

Madeleine monte et s'assoit à côté de son futur.

— Au revoir tout le monde, qu'elle crie par la portière, et merci pour la bonne… et merci pour l'ec…

4605 Mais on n'entend pas le reste. Le taxi est déjà loin.

— Si on était en Amérique, dit Gabriel, on leur aurait foutu du riz dessus.

— T'as vu ça dans les vieux films, dit Zazie. Maintenant à la fin ils se marient moins que dans le temps. Moi, je préfère quand 4610 ils crèvent tous.

— J'aime mieux le riz, dit la veuve Mouaque.

— On vous a pas sonnée, dit Zazie.

— Mademoiselle, dit Trouscaillon, vous devriez être plus polie avec une ancienne.

4615 — Ce qu'il est beau quand il prend ma défense, dit la veuve Mouaque.

— En route, dit Gabriel. Je vous emmène Aux Nyctalopes. C'est là où je suis le plus connu.

La veuve Mouaque et Trouscaillon suivent le mouvement.

4620 — T'as vu ? dit Zazie à Gabriel, la rombière et le flic qui nous colochaussent.

— On peut pas les empêcher, dit Gabriel. Ils sont bien libres.

— Tu peux pas leur faire peur ? Je veux plus les voir.

4625 — Faut montrer plus de compréhension humaine que ça, dans la vie.

— Un flic, dit la veuve Mouaque qui avait tout entendu, c'est quand même un homme.

— J'offre une tournée, dit Trouscaillon timidement.

— Ça, dit Gabriel, rien à faire. Ce soir, c'est moi qui régale. _ 4630

— Rien qu'une petite tournée, dit Trouscaillon d'une voix suppliante. Du muscadet par egzemple. Quelque chose dans mes moyens.

— Écorne pas ta dot, dit Gabriel, moi c'est différent.

— D'ailleurs, dit Turandot, tu vas nous offrir rien du tout. _ 4635 T'oublies que t'es flic. Moi qui suis dans la limonade, jamais je servirais un flic qui amènerait une bande de gens avec lui pour leur arroser la dalle.

— Vous êtes pas forts, dit Gridoux. Vous le reconnaissez pas? C'est le satyre de ce matin. _ 4640

Gabriel se pencha pour l'egzaminer plus attentivement. Tout le monde, même Zazie parce que fort surprise et vexée à la fois, attendit le résultat de l'inspection. Trouscaillon, tout le premier, conservait un silence prudent.

— Qu'est-ce que t'as fait de tes moustaches? lui demanda _ 4645 Gabriel d'une voix paisible et redoutable à la fois.

— Vous allez pas lui faire du mal, dit la veuve Mouaque.

D'une main, Gabriel saisit Trouscaillon par le revers de sa vareuse et le porta sous la lueur d'un réverbère pour compléter son étude. _ 4650

— Oui, dit-il. Et tes moustaches?

— Je les ai laissées chez moi, dit Trouscaillon.

— Et en plus c'est donc vrai que t'es un flic?

— Non, non, s'écria Trouscaillon. C'est un déguisement…

juste pour m'amuser… pour vous amuser… c'est comme vott tutu… c'est le même tabac…

— Le même passage à tabac, dit Gridoux inspiré.

— Vous allez tout de même pas lui faire du mal, dit la veuve Mouaque.

— Ça demande des esplications, dit Turandot, en surmontant son inquiétude.

— Tu causes, tu causes… dit faiblement Laverdure et il se rendormit.

Zazie la bouclait. Dépassée par les événements, accablée par la somnolence, elle essayait de trouver une attitude à la fois adéquate à la situation et à la dignité de sa personne, mais n'y parvenait point.

Soulevant Trouscaillon le long du réverbère, Gabriel le regarda de nouveau en silence, le reposa délicatement sur ses pieds et lui adressa la parole en ces termes :

— Et qu'est-ce que t'as à nous suivre comme ça?

— C'est pas vous qu'il suit, dit la veuve Mouaque, c'est moi.

— C'est ça, dit Trouscaillon. Vous savez peut-être pas… mais quand on est mordu pour une mousmé…

— Qu'est-ce que (oh qu'il est mignon) t'insinues (il m'a appelée) sur mon compte (une mousmé), dirent, synchrones, Gabriel (et la veuve Mouaque), l'un avec fureur, (l'autre avec ferveur).

— Pauvre andouille, continua Gabriel en se tournant vers la dame, il vous raconte pas tout ce qu'il fait.

— J'ai pas encore eu le temps, dit Trouscaillon.

— C'est un dégoûtant satyre, dit Gabriel. Ce matin, il a coursé la petite jusque chez elle. Ignoble.

— T'as fait ça ? demanda la veuve Mouaque bouleversée.

— Je ne vous connaissais pas encore, dit Trouscaillon.

— Il avoue ! hurla la veuve Mouaque. _ 4685

— Il a avoué ! hurlèrent Turandot et Gridoux.

— Ah ! tu avoues ! dit Gabriel d'une voix forte.

— Pardon ! cria Trouscaillon, pardon !

— Le salaud ! brailla la veuve Mouaque.

Ces vociférantes exclamations firent hors de l'ombre surgir _ 4690 deux hanvélos[1].

— Tapage nocturne, qu'ils hurlèrent les deux hanvélos, chahut lunaire, boucan somnivore, médianoche gueulante, ah çà mais c'est que, qu'ils hurlaient les deux hanvélos.

Gabriel, discrètement, cessa de tenir Trouscaillon par les revers _ 4695 de sa vareuse.

— Minute, s'écria Trouscaillon faisant preuve du plus grand courage, minute, vous m'avez donc pas regardé ? Adspicez[2] mon uniforme. Je suis flicard, voyez mes ailes.

Et il agitait sa pèlerine. _ 4700

— D'où tu sors, dit le hanvélo qualifié pour engager le dialogue. On t'a jamais vu dans le canton.

— Possible, répondit Trouscaillon animé avec une audace

---

1. Personnes à vélo. Voir *Les mots ont une histoire*, p. 242.
2. Regardez (latinisme).

qu'un bon écrivain ne saurait qualifier autrement que d'insen-
4705 _ sée. Possible, n'empêche que flic je suis, flic je demeure.

— Mais eux autres, dit le hanvélo d'un air malin, eux autres (gestes), c'est tous des flics?

— Vous ne voudriez pas. Mais ils sont doux comme l'hysope.

4710 _ — Tout ça ne me paraît pas très catholique, dit le hanvélo qui causait.

L'autre se contentait de faire des mines. Terrible.

— J'ai pourtant fait ma première communion, répliqua Trouscaillon.

4715 _ — Oh que voilà une réflexion qui sent peu son flic, s'écria le hanvélo qui causait. Je subodore en toi le lecteur de ces publications révoltées qui veulent faire croire à l'alliance du goupillon et du bâton blanc. Or, vous entendez (et il s'adresse à la ronde), les curés, la police les a là (geste).

4720 _ Cette mimique fut accueillie avec réserve, sauf par Turandot qui sourit servilement. Gabriel haussa nettement les épaules.

— Toi, lui dit le hanvélo qui causait. Toi, tu pues (un temps). La marjolaine.

— La marjolaine, s'écria Gabriel avec commisération. C'est
4725 _ Barbouze de Fior.

— Oh! dit le hanvélo incrédule. Voyons voir.

Il s'approcha pour renifler le veston de Gabriel.

— Ma foi, dit-il ensuite presque convaincu. Regardez donc voir, ajouta-t-il à l'intention de son collègue.

L'autre se mit à renifler à son tour le veston de Gabriel. Il hocha la tête.

— Mais, dit celui qui savait causer, je me laisserai pas impressionner. Il pue la marjolaine.

— Je me demande ce que ces cons-là peuvent bien y connaître, dit Zazie en bâillant.

— Mazette, dit le hanvélo qui savait causer, vous avez entendu, subordonné? Voilà qui semble friser l'injure.

— C'est pas une frisure, dit Zazie mollement, c'est une permanente.

Et comme Gabriel et Gridoux s'esclaffaient, elle ajouta pour leur usage et agrément :

— C'en est encore une que j'ai trouvée dans les Mémoires du général Vermot.

— Ah mais c'est que, dit le hanvélo. Voilà une mouflette qui se fout de nous comme l'autre avec sa marjolaine.

— C'en est pas, dit Gabriel. Je vous répète : Barbouze de Fior.

La veuve Mouaque s'approcha pour renifler à son tour.

— C'en est, qu'elle dit aux deux hanvélos.

— On vous a pas sonnée, dit celui qui savait pas causer.

— Ça c'est bien vrai, marmonna Zazie. Je lui ai déjà dit ça tout à l'heure.

— Faudrait voir à voir à être poli avec la dame, dit Trouscaillon.

— Toi, dit le hanvélo qui savait causer, tu ferais mieux de ne pas trop attirer l'attention sur ta pomme.

— Faudrait voir à voir, répéta Trouscaillon avec un courage qui émut la veuve Mouaque.

— Est-ce que tu ferais pas mieux d'être couché asteure ?

— Ah ah, dit Zazie.

— Fais-nous donc voir tes papiers, dit à Trouscaillon le hanvélo qui savait causer.

— On n'a jamais vu ça, dit la veuve Mouaque.

— Toi, la vieille, ferme ça, dit le hanvélo qui savait pas causer.

— Ah ah ! dit Zazie.

— Soyez poli avec madame, dit Trouscaillon qui devenait téméraire.

— Encore un propos de non-flic, dit le hanvélo qui savait causer. Tes papiers, hurla-t-il, et que ça saute.

— Ce qu'on peut se marer, dit Zazie.

— C'est tout de même un peu fort, dit Trouscaillon. C'est à moi qu'on réclame ses papiers maintenant alors que ces gens-là (geste) on leur demande rien.

— Ça, dit Gabriel, ça c'est pas chic.

— Quel fumier, dit Gridoux.

Mais les hanvélos changeaient pas d'idée comme ça.

— Tes papiers, hurlait celui qui savait causer.

— Tes papiers, hurlait celui qui savait pas.

— Tapage nocturne, surhurlèrent à ce moment de nouveaux flics complétés, eux, par un panier à salade. Chahut lunaire, boucan somnivore, médianoche gueulante, ah çà mais c'est que…

Avec un flair parfait, ils subodorèrent les responsables et sans hésiter embarquèrent Trouscaillon et les deux hanvélos. Le tout disparut en un instant.

— Y a tout de même une justice, dit Gabriel.

La veuve Mouaque, elle, se lamentait. 4785

— Faut pas pleurer, lui dit Gabriel. Il était un peu faux jeton sur les bords votre jules. Et puis on en avait mare, de sa filature. Allez, venez donc vous taper une soupe à l'oignon avec nous. La soupe à l'oignon qui berce et qui console.

17

4790 Une larme tomba sur un croûton brûlant et s'y volatilisa.

— Allez allez, dit Gabriel à la veuve Mouaque, reprenez vos esprits. Un de perdu, dix de retrouvés. Moche comme vous êtes, vous n'aurez pas de mal à redécrocher un coquin.

Elle soupire, incertaine. Le croûton glisse dans la cuiller et la 4795 veuve se le projette, fumant, dans l'œsophage. Elle en souffre.

— Appelez les pompiers, lui dit Gabriel.

Et il lui remplit de nouveau son verre. Chaque bouchée mouaquienne est ainsi arrosée de muscadet sévère.

Zazie a rejoint Laverdure dans la somnie[1]. Gridoux et Turan-4800 dot se débattent en silence avec les fils du râpé.

— Fameuse hein, que leur dit Gabriel, cette soupe à l'oignon. On dirait que toi (geste) tu y as mis des semelles de bottes et toi (geste) que tu leur as refilé ton eau de vaisselle. Mais c'est ça que j'aime : la bonne franquette, le naturel. La pureté, quoi.

4805 Les autres approuvent, mais sans commentaires.

— Eh bien, Zazie, tu manges pas ta soupe?

---

1. Sommeil (néologisme). Voir *Les mots ont une histoire*, p. 242.

— Laissez-la dormir, dit la veuve Mouaque d'une voix effondrée. Laissez-la rêver.

Zazie ouvre un œil.

— Tiens, qu'elle dit, elle est encore là, la vieille taupe.

— Faut avoir pitié des malheureux, dit Gabriel.

— Vzêtes bien bon, dit la veuve Mouaque. C'est pas comme elle (geste). Les enfants, c'est bien connu : ça n'a pas de cœur.

Elle vida son glasse et fit signe à Gabriel qu'elle souhaitait vivement qu'il le remplît de nouveau.

— Ce qu'elle peut déconner, dit Zazie faiblement.

— Peuh, dit Gabriel. Quelle importance ? N'est-ce pas, vieille soucoupe ? ajouta-t-il à l'intention de la principale intéressée.

— Ah vzêtes bon, vous, dit celle-ci. C'est pas comme elle. Les enfants, c'est bien connu. Ça n'a pas de cœur.

— Elle va nous les casser encore longtemps comme ça ? demanda Turandot à Gabriel en profitant d'une déglutition réussie.

— Vous êtes dur, vous alors, dit Gabriel. Il a quand même du chagrin, ce vieux débris.

— Merci, dit la veuve Mouaque avec effusion.

— De rien, dit Gabriel. Et, pour revenir à cette soupe à l'oignon, il faut reconnaître que c'est une invention bien remarquable.

— Celle-ci, demanda Gridoux qui, au terme de sa consommation, raclait avec énergie le fond de son assiette pour faire un sort au gruyère qui adhérait encore à la faïence, celle-ci en particulier ou la soupe à l'oignon en général ?

— En général, répondit Gabriel avec décision. Je ne parle jamais qu'en général. Je ne fais pas de demi-mesures.

4835 — T'as raison, dit Turandot qui avait également achevé sa pâtée, faut pas chercher midi à quatorze heures. Egzemple : le muscadet se fait rare, c'est la vieille qui siffle tout.

— C'est qu'il n'est pas sale, dit la veuve Mouaque en souriant béatement. Moi aussi, je parle en général quand je veux.

4840 — Tu causes, tu causes, dit Laverdure réveillé en sursaut pour un motif inconnu de tous et de lui-même, c'est tout ce que tu sais faire.

— J'en ai assez, dit Zazie en repoussant sa portion.

— Attends, dit Gabriel en attirant vivement l'assiette devant 4845 lui, je vais te terminer ça. Et qu'on nous envoie deux bouteilles de muscadet, et une de grenadine ajouta-t-il à l'intention d'un garçon qui circulait dans les parages. Et lui (geste), on l'oublie. Peut-être qu'il croquerait bien quelque chose ?

— Hé Laverdure, dit Turandot, tu as faim ?

4850 — Tu causes, tu causes, dit Laverdure, c'est tout ce que tu sais faire.

— Ça, dit Gridoux, ça veut dire oui.

— C'est pas toi qui vas m'apprendre à comprendre ce qu'il raconte, dit Turandot avec hauteur.

4855 — Je me permettrais pas, dit Gridoux.

— N'empêche qu'il l'a fait, dit la veuve Mouaque.

— Envenimez pas la situation, dit Gabriel.

— Tu comprends, dit Turandot à Gridoux, je comprends ce

que tu comprends aussi bien que toi. Je suis pas plus con qu'un autre. _ 4860

— Si tu comprends autant que moi, dit Gridoux, alors c'est que t'es moins con que t'en as l'air.

— Et pour en avoir l'air, dit la veuve Mouaque, il en a l'air.

— Elle est culottée, celle-là, dit Turandot. La vlà qui m'agonise maintenant. _ 4865

— Voilà ce que c'est quand on n'a pas de prestige, dit Gridoux. Le moindre gougnafier vous crache alors en pleine gueule. C'est pas avec moi qu'elle oserait.

— Tous les gens sont des cons, dit la veuve Mouaque avec une énergie soudaine. Vous compris, ajouta-t-elle pour Gridoux. _ 4870

Elle reçut immédiatement une bonne calotte.

Elle la rendit non moins prestement.

Mais Gridoux en avait une autre en réserve qui retentit sur le visage mouaquien.

— Palsambleu, hurla Turandot. _ 4875

Et il se mit à sautiller entre les tables, en essayant vaguement d'imiter Gabriella dans son numéro de *La Mort du cygne*.

Zazie, de nouveau, dormait. Laverdure, sans doute dans un esprit de vengeance, essayait de projeter un excrément frais hors de sa cage. _ 4880

Cependant les gifles allaient bon train entre Gridoux et la veuve Mouaque et Gabriel s'esclaffait en voyant Turandot essayer de friser la jambe.

Mais tout ceci n'était pas du goût des loufiats d'Aux Nyctalopes.

Deux d'entre eux spécialisés dans ce genre d'exploit saisirent subitement Turandot chacun sous un bras et, l'encadrant allègrement, ils eurent tôt fait de l'emmener hors pour le projeter sur l'asphalte de la chaussée, interrompant ainsi la maraude de quelques taxis moroses dans l'air grisâtre et rafraîchi du tout petit matin.

— Alors ça, dit Gabriel. Alors ça : non !

Il se leva et, attrapant les deux loufiats qui s'en retournaient satisfaits vers leurs occupations ménagères, il leur fait sonner le cassis l'un contre l'autre de telle force et belle façon que les deux farauds s'effondrent fondus.

— Bravo ! s'écrient en chœur Gridoux et la veuve Mouaque qui, d'un commun accord, ont interrompu leur échange de correspondance.

Un tiers loufiat qui s'y connaissait en matière de bagarre, voulut remporter une victoire éclair. Prenant en main un siphon, il se proposait d'en faire résonner la masse contre le crâne de Gabriel. Mais Gridoux avait prévu la contre-offensive. Un autre siphon, non moins compact, balancé par ses soins, s'en vint, au terme de sa trajectoire, faire des dégâts sur la petite tête de l'astucieux.

— Palsambleu ! hurle Turandot qui, ayant repris son équilibre sur la chaussée aux dépens des freins de quelques chars nocturnes particulièrement matineux, pénétrait de nouveau dans la brasserie en manifestant un fier désir de combats.

C'était maintenant des troupeaux de loufiats qui surgissaient de toutes parts. Jamais on upu croire qu'il y en u tant. Ils sortaient des cuisines, des caves, des offices, des soutes. Leur masse serrée absorba Gridoux puis Turandot aventuré parmi eux. Mais ils n'arrivaient pas à réduire Gabriel aussi facilement. Tel le coléoptère attaqué par une colonne myrmidonne, tel le bœuf _ 4915 assailli par un banc hirudinaire, Gabriel se secouait, s'ébrouait, s'ébattait, projetant dans des directions variées des projectiles humains qui s'en allaient briser tables et chaises ou rouler entre les pieds des clients.

Le bruit de cette controverse finit par éveiller Zazie. Aperce- _ 4920 vant son oncle en proie à la meute limonadière, elle hurla : courage, tonton ! et s'emparant d'une carafe la jeta au hasard dans la mêlée. Tant l'esprit militaire est grand chez les filles de France. Suivant cet exemple, la veuve Mouaque dissémina des cendriers autour d'elle. Tant l'esprit d'imitation peut faire faire de choses _ 4925 aux moins douées. S'entendit alors un fracas considérable.

Gabriel venait de s'effondrer dans la vaisselle, entraînant parmi les débris sept loufiats déchaînés, cinq clients qui avaient pris parti et un épileptique.

D'un seul mouvement se levant, Zazie et la veuve Mouaque _ 4930 s'approchèrent du magma humain qui s'agitait dans la sciure et la faïence. Quelques coups de siphon bien appliqués éliminèrent de la compétition quelques personnes au crâne fragile. Grâce à quoi, Gabriel put se relever, déchirant pour ainsi dire le rideau formé par ses adversaires, du même coup révélant la pré- _ 4935 sence abîmée de Gridoux et de Turandot allongés contre le sol.

Quelques jets aquagazeux dirigés sur leur tronche par l'élément féminin et brancardier les remirent en situation. Dès lors, l'issue du combat n'était plus douteuse.

4940 Tandis que les clients tièdes ou indifférents s'éclipsaient en douce, les acharnés et les loufiats, à bout de souffle, se dégonflaient sous le poing sévère de Gabriel, la manchette sidérante de Gridoux, le pied virulent de Turandot. Lorsque ratatinés, Zazie et Mouaque les effaçaient de la surface d'Aux Nyctalopes et les 4945 traînaient jusque sur le trottoir, où des amateurs bénévoles, par simple bonté d'âme, les disposaient en tas. Seul ne prenait pas part à l'hécatombe Laverdure, dès le début de la bigorne[1] douloureusement atteint au périnée par un fragment de soupière. Gisant au fond de sa cage, il murmurait en gémissant : char-4950 mante soirée, charmante soirée ; traumatisé, il avait changé de disque.

Même sans son concours, la victoire fut bientôt totale.

Le dernier antagoniste[2] éliminé, Gabriel se frotta les mains avec satisfaction et dit :

4955 — Maintenant, je me taperais bien un café-crème.

— Bonne idée, dit Turandot qui passa derrière le zinc tandis que les quatre autres s'y accoudaient.

— Et Laverdure ?

Turandot partit à la recherche de l'animal qu'il trouva tou-4960 jours maugréant. Il le sortit de sa cage et se mit à le caresser en

1. Bagarre (argot).
2. Ennemi. Voir *Les mots ont une histoire*, p. 242.

l'appelant sa petite poule verte. Laverdure rasséréné lui répondit :

— Tu causes, tu causes, c'est tout ce que tu sais faire.

— Ça, c'est vrai, dit Gabriel. Et ce crème ?

Rassuré, Turandot réencagea le perroquet et s'approcha des machines. Il essaya de les faire marcher, mais, ne pratiquant pas ce modèle, il commença par s'ébouillanter une main. _ 4965

— Ouïouïouïe, dit-il en toute simplicité.

— Sacré maladroit, dit Gridoux.

— Pauvre minet, dit la veuve Mouaque. _ 4970

— Merde, dit Turandot.

— Le crème, pour moi, dit Gabriel : bien blanc.

— Et pour moi, dit Zazie : avec de la peau dessus.

— Aaaaaaahh, répondit Turandot qui venait de s'envoyer un jet de vapeur en pleine poire. _ 4975

— On ferait mieux de demander ça à quelqu'un de l'établissement, dit Gabriel placidement.

— C'est ça, dit Gridoux, je vais en chercher un.

Il alla choisir dans le tas le moins amoché. Qu'il remorqua.

— T'étais bath, tu sais, dit Zazie à Gabriel. Des hormosessuels comme toi, doit pas y en avoir des bottes. _ 4980

— Et comment mademoiselle désire-t-elle son crème ? demanda le loufiat ramené à la raison.

— Avec de la pelure, dit Zazie.

— Pourquoi que tu persistes à me qualifier d'hormosessuel ? _ 4985 demanda Gabriel avec calme. Maintenant que tu m'as vu au Mont-de-piété, tu dois être fixée.

— Hormosessuel ou pas, dit Zazie, en tout cas t'as été vraiment suprême.

— Qu'est-ce que tu veux, dit Gabriel, j'aimais pas leurs manières (geste).

— Oh meussieu, dit le loufiat désigné, on le regrette bien, allez.

— C'est qu'ils m'avaient insulté, dit Gabriel.

— Là, meussieu, dit le loufiat, vous faites erreur.

— Que si, dit Gabriel.

— T'en fais pas, lui dit Gridoux, on est toujours insulté par quelqu'un.

— Ça c'est pensé, dit Turandot.

— Et maintenant, demanda Gridoux à Gabriel, qu'est-ce que tu comptes faire ?

— Bin, boire ce crème.

— Et ensuite ?

— Repasser par la maison et reconduire la petite à la gare.

— T'as vu dehors ?

— Non.

— Eh bien, va voir.

Gabriel y alla.

— Évidemment, dit-il en revenant.

Deux divisions blindées de veilleurs de nuit et un escadron de spahis jurassiens venaient en effet de prendre position autour de la place Pigalle.

18

— Faudrait peut-être que je téléphone à Marceline, dit Gabriel.

Les autres continuèrent à boire leur crème en silence.

— Ça va chier, dit le loufiat à mi-voix.

— On vous a pas sonné, répliqua la veuve Mouaque. _ 5015

— Je vais te rapporter où je t'ai pris, dit Gridoux.

— Ça va ça va, dit le loufiat, y a plus moyen de plaisanter.

Gabriel revenait.

— C'est marant, qu'il dit. Ça répond pas.

Il voulut boire son crème. _ 5020

— Merde, ajouta-t-il, c'est froid.

Il le reposa sur le zinc, écœuré.

Gridoux alla regarder.

— Ils s'approchent, qu'il annonça.

Abandonnant le zinc, les autres se groupèrent autour de lui, _ 5025
sauf le loufiat qui se camoufla sous la caisse.

— Ils ont pas l'air content, remarqua Gabriel.

— C'est rien chouette, murmura Zazie.

— J'espère que Laverdure aura pas d'ennuis, dit Turandot. Il a rien fait, lui. _ 5030

— Et moi alors, dit la veuve Mouaque. Qu'est-ce que j'ai fait, moi ?

— Vous irez rejoindre votre Trouscaillon, dit Gridoux en haussant les épaules.

5035 — Mais c'est lui ! s'écria-t-elle.

Enjambant le tas des déconfits qui formaient une sorte de barricade devant l'entrée d'Aux Nyctalopes, la veuve Mouaque manifesta l'intention de se précipiter vers les assaillants qui s'avançaient avec lenteur et précision. Une bonne poignée de 5040 balles de mitraillette coupa court à cette tentative. La veuve Mouaque, tenant ses tripes dans ses mains[1], s'effondra.

— C'est bête, murmura-t-elle. Moi qu'avais des rentes.

Et elle meurt.

— Ça se gâte, fit remarquer Turandot. Pourvu que Laverdure 5045 attrape pas un mauvais coup.

Zazie s'était évanouie.

— Ils devraient faire attention, dit Gabriel furieux. Y a des enfants.

— Tu vas pouvoir leur faire tes observations, dit Gridoux. Les vlà.

5050 Ces messieux, fortement armés, se trouvaient maintenant tout simplement de l'autre côté des vitres, défense d'autant plus faible qu'elles avaient en majeure partie valsé durant la précédente bagarre. Ces messieux, fortement armés, s'arrêtèrent en ligne, au milieu du trottoir. Un personnage, le pébroque accroché à

---

1. Citation d'un texte médiéval, *La Complainte du Roi Renaud* : « Le roi Renaud de guerre vint/ tenant ses tripes dans ses mains ».

son bras, se détacha de leur groupe et, enjambant le cadavre de — 5055
la veuve Mouaque, pénétra dans la brasserie.

— Tiens, firent en chœur Gabriel, Turandot, Gridoux et Laverdure.

Zazie était toujours évanouie.

— Oui, dit l'homme au pébroque (neuf), c'est moi, Aroun — 5060
Arachide. Je suis je, celui que vous avez connu et parfois mal reconnu. Prince de ce monde[1] et de plusieurs territoires connexes, il me plaît de parcourir mon domaine sous des aspects variés en prenant les apparences de l'incertitude et de l'erreur qui, d'ailleurs, me sont propres. Policier primaire et défalqué, — 5065
voyou noctinaute, indécis pourchasseur de veuves et d'orphelines, ces fuyantes images me permettent d'endosser sans crainte les risques mineurs du ridicule, de la calembredaine et de l'effusion sentimentale (geste noble en direction de feu la veuve Mouaque). À peine porté disparu par vos consciences légères, — 5070
je réapparais en triomphateur, et même sans aucune modestie. Voyez ! (Nouveau geste non moins noble, mais englobant cette fois-ci l'ensemble de la situation.)

— Tu causes, tu causes, dit Laverdure, c'est…

— En voilà un qui me paraît bon pour la casserole, dit Trous- — 5075
caillon pardon : Aroun Arachide.

— Jamais ! s'écrie Turandot en serrant la cage sur son cœur. Plutôt périr !

---

1. Référence biblique. Jésus désigne Satan par l'expression « Prince de ce monde ».

Sur ces mots, il commence à s'enfoncer dans le sol ainsi d'ailleurs que Gabriel, Zazie et Gridoux. Le monte-charge descend le tout dans la cave d'Aux Nyctalopes. Le mani¬pulateur du monte-charge, plongé dans l'obscurité, leur dit doucement, mais avec fermeté, de le suivre et de se grouiller. Il agitait une lampe électrique, signe à la fois de ralliement et des vertus de la pile qui l'entretenait. Tandis qu'au rez-de-chaussée, les messieux fortement armés, sous le coup de l'émotion, se laissaient partir des rafales de mitraillette entre les jambes, le petit groupe suivant l'injonction et la lumière susdites se déplaçait avec une notable rapidité entre les casiers bourrés de bouteilles de muscadine et de grenadet. Gabriel portait Zazie toujours évanouie, Turandot Laverdure toujours maussade et Gridoux ne portait rien.

Ils descendirent un escalier, puis ils franchirent le seuil d'une petite porte et ils se trouvèrent dans un égout. Un peu plus loin, ils franchirent le seuil d'une autre petite porte et ils se trouvèrent dans un couloir aux briques vernissées, encore obscur et désert.

— Maintenant, dit doucement le lampadophore[1], si on veut pas se faire repérer, il faut partir chacun de son côté. Toi, ajouta-t-il à l'intention de Turandot, t'auras du mal avec ton zoizo.

— Je vais le peindre en noir, dit Turandot d'un air sombre.

— Tout ça, dit Gabriel, c'est pas marant.

— Sacré Gabriel, dit Gridoux, toujours le mot pour rire.

— Moi, dit le lampadophore, je ramène la petite. Toi aussi,

1. Le porteur de la lampe.

Gabriel, t'es un peu visible. Et puis j'ai pris sa valoche avec moi. Mais j'ai dû oublier des choses. J'ai fait vite.

— Raconte-moi ça. _ 5105

— C'est pas le moment.

Les lampes s'allumèrent.

— Ça y est, dit doucement l'autre. Le métro remarche. Toi, Gridoux, prends la direction Étoile et toi, Turandot, la direction Bastille. _ 5110

— Et on se démerde comme on peut? dit Turandot.

— Sans cirage sous la main, dit Gabriel, va falloir que tu fasses preuve d'imagination.

— Et si je me mettais dans la cage, dit Turandot, et que ce soit Laverdure qui me porte? _ 5115

— C'est une idée.

— Moi, dit Gridoux, je rentre chez moi. La cordonnerie est, heureusement, une des bases de la société. Et qu'est-ce qui distingue un cordonnier d'un autre cordonnier?

— C'est évident. _ 5120

— Alors au revoir, les gars! dit Gridoux.

Et il s'éloigna dans la direction Étoile.

— Alors au revoir, les gars! dit Laverdure.

— Tu causes, tu causes, dit Turandot, c'est tout ce que tu sais faire. _ 5125

Et ils s'envolèrent dans la direction Bastille.

19

Jeanne Lalochère s'éveilla brusquement. Elle consulta sa montre-bracelet posée sur la table de nuit ; il était six heures passées.

5130 — Faut pas que je traîne.

Elle s'attarda cependant quelques instants pour examiner son jules qui, nu, ronflait. Elle le regarda en gros, puis en détail, considérant notamment avec lassitude et placidité l'objet qui l'avait tant occupée pendant un jour et deux nuits et qui maintenant res-

5135 semblait plus à un poupard après sa tétée qu'à un vert grenadier.

— Et il est d'un bête avec ça.

Elle se vêtit en vitesse, jeta divers objets dans son fourre-tout, se rafistola le visage.

— Faudrait pas que je soye en retard. Si je veux récupérer la

5140 fille. Comme je connais Gabriel. Ils seront sûrement à l'heure. À moins qu'il lui soit arrivé quelque chose.

Elle serra son rouge à lèvres sur son cœur.

— Pourvu qu'il lui soit rien arrivé.

Maintenant, elle était fin prête. Elle regarda son jules encore

5145 une fois.

— S'il revient me trouver. S'il insiste. Je dirai peut-être pas non. Mais c'est plus moi qui courrai après.

Elle ferma doucement la porte derrière elle. L'hôtelier lui appela un taxi et à la demie elle était à la gare. Elle marqua deux coins et redescendit sur le quai. Peu après, Zazie s'amenait accompagnée par un type qui lui portait sa valoche. _ 5150

— Tiens, dit Jeanne Lalochère. Marcel.

— Comme vous voyez.

— Mais elle dort debout !

— On a fait la foire. Faut l'escuser. Et moi aussi, faut m'escuser si je me tire. _ 5155

— Je comprends. Mais Gabriel ?

— C'est pas brillant. On s'éclipse. Arvoir, petite.

— Au revoir, meussieu, dit Zazie très absente.

Jeanne Lalochère la fit monter dans le compartiment. _ 5160

— Alors tu t'es bien amusée ?

— Comme ça.

— T'as vu le métro ?

— Non.

— Alors, qu'est-ce que t'as fait ? _ 5165

— J'ai vieilli.

Table des chapitres

NOUS AVONS LA PAROLE

PAGE
284

LE DOSSIER

PROLONGE-
MENTS

JE DÉCOUVRE

Cor
Cœur
Courage

Les personnages de *Zazie dans le métro*

Zazie

La famille de Zazie

Gabriel et Marceline

Jeanne Lalochère et son amant

L'entourage de Gabriel

Charles et Mado-P'tits-Pieds

Turandot et Laverdure

Gridoux

Les rencontres de Zazie

Trouscaillon et la veuve Mouaque

Fédor Balanovitch et les touristes

AUTOUR DE ZAZIE

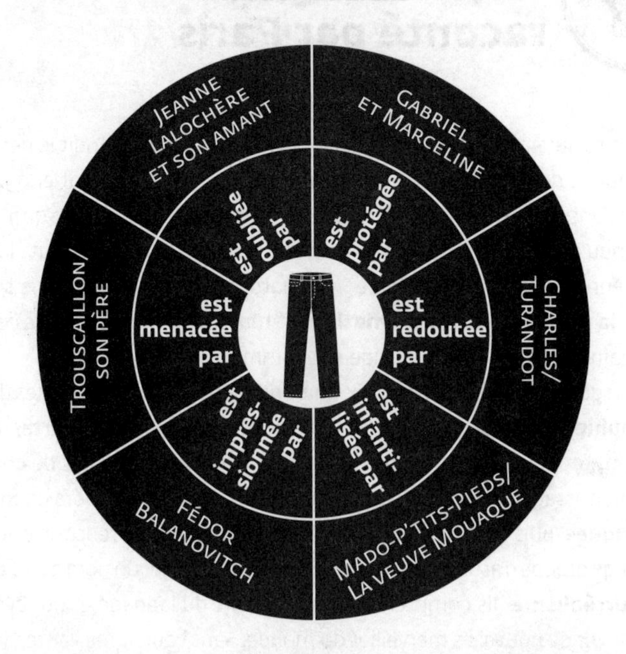

LES PERSONNAGES DANS LE COMBAT FINAL

Les survivants du quai de métro

Les victimes

Les non-belligérants

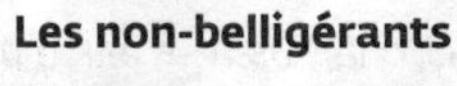

Raymond Queneau raconté par Paris

Je suis au regret de dire que ce n'est pas moi qui ai vu grandir le petit Raymond : de sa **naissance en 1903** jusqu'à son baccalauréat en 1920, il a vécu dans la ville du Havre. L'honnêteté me pousse à reconnaître qu'il n'a pas attendu d'arpenter mes rues pour devenir un esprit curieux de tout : langues anciennes, chimie, égyptologie... À quatorze ans, il se passionne surtout pour **la poésie et les mathématiques** : toute sa vie, il rapprochera ces deux domaines que beaucoup considèrent comme éloignés.

Lorsqu'il me rejoint enfin, à dix-huit ans, il entreprend des études de **philosophie**. Mais à chacune des stations de mon métro, toutes sortes de tentations intellectuelles l'attendent : la fréquentation des salles de **cinéma**, l'apprentissage de nombreuses **langues étrangères**, les cours de **mathématiques**, puis des conférences sur **l'histoire**. Raymond rencontre aussi un étrange groupe d'artistes en 1924, ils viennent de donner un nom à leur quête : **le surréalisme**. Ils comptent sur les pouvoirs du langage et du rêve pour découvrir de nouvelles merveilles du monde. Sans vouloir me vanter, les surprises qu'offrent mes rues, mes passages couverts, mes parcs et mes passants leur fournissent une matière précieuse pour leurs écrits. Raymond, même s'il ne côtoie plus le groupe après 1929, ne cesse ensuite jamais de s'intéresser aux limites entre le rêve et la réalité, et il conserve bien sûr sa fascination pour moi.

D'ailleurs, peu après la publication de son **premier roman, *Le Chiendent*, en 1933**, Raymond travaille pendant deux ans pour un journal : il pose chaque jour trois questions sur moi dans une rubrique intitulée « Connaissez-vous Paris ? ». Voyez s'il me connaît bien ! À partir de 1938, il travaille pour les Éditions Gallimard, tout en poursuivant son activité d'écrivain. Pour son roman *Pierrot mon ami*, paru en 1942, je lui ai encore fourni le décor, même s'il ne peut s'empêcher de me transformer selon sa fantaisie : j'en confondrais parfois mes propres monuments !

Après la guerre, le succès de Raymond grandit. C'est dans un bus qui parcourt mes rues que se déroulent les 99 saynètes des ***Exercices de style*, publiés en 1947**. Raymond fait varier les tons et les effets, mais moi, je suis 99 fois présente. Et puis, avec son poème « Si tu t'imagines », chanté par Juliette Gréco en 1949, Raymond devient **incontournable dans les soirées de Saint-Germain-des-Prés**, mon quartier alors le plus à la mode. Durant cette période, ses activités sont particulièrement foisonnantes : il écrit des dialogues de films, des chansons, il peint, il s'inscrit à la Société mathématique de France. Cela ne m'étonne pas qu'il dirige l'Encyclopédie de la Pléiade chez Gallimard : condenser en un seul ouvrage des connaissances issues de domaines très variés, cela lui ressemble !

En 1959, alors que je le vois **travailler sur ce roman depuis presque quinze ans**, Raymond publie enfin *Zazie dans le métro*. Les lecteurs adorent et Raymond devient vraiment célèbre. Je n'aime pas beaucoup qu'on répande des rumeurs sur l'odeur de mes habitants ou la fiabilité de mes transports, mais je suis tout de même flattée d'être si essentielle au récit : les personnages ne cessent de parler de moi !

En 1960, avec un mathématicien, **Raymond fonde l'OUvroir de LIttérature POtentielle (l'OuLiPo)** : un groupe qui joue à imaginer des contraintes pour créer des œuvres originales. Par exemple, Raymond, bien avant l'informatique, invente un système fabriquant cent mille milliards de poèmes grâce à des combinaisons de vers.

Ne s'étant jamais éloigné longtemps depuis 1921, **Raymond s'éteint en 1976**, chez moi.

Le vrai/faux

- *Raymond Queneau a toujours détesté les mathématiques.*
- *Il a côtoyé toute sa vie les surréalistes.*
- *Il a mis presque quinze ans à écrire* Zazie dans le métro.

Retour dans le passé : le lecteur contemporain de *Zazie dans le métro*

Les premiers lecteurs de *Zazie dans le métro*, en **1959**, vivent dans **un pays en plein renouveau**, quatorze ans après la fin de la Seconde Guerre mondiale.

Une nouvelle catégorie bien identifiée, avec ses goûts, sa façon de parler et de s'habiller, est apparue dans la société française : les jeunes. Auparavant, on passait plus directement du mode de vie de l'enfance à celui de l'âge adulte, pour les filles en se mariant, pour les garçons en commençant à travailler. **Les jeunes aiment la culture américaine** : ils portent des jeans, ils mâchent des chewing-gums, ils découvrent le rock'n'roll.

Les Français bénéficient de la **croissance économique** liée à la reconstruction du pays après la guerre. Le plein emploi, la publicité de plus en plus présente contribuent à développer la **consommation de masse**. Les foyers s'équipent de meubles en Formica, dotent leurs intérieurs de papiers peints à fleurs. On se parfume à l'eau de Cologne, qui est bon marché (le parfum reste un véritable luxe). En 1956, les salariés obtiennent **une troisième semaine de congés payés**. Les loisirs prennent ainsi plus de place, et le tourisme se développe : les premiers voyages organisés apparaissent. Les enfants, qui portent une blouse à l'école, sont de plus en plus nombreux à obtenir au moins le certificat d'études, mais le collège pour tous n'existe pas encore, et les élèves sont orientés vers des filières variées dès la fin de l'école primaire. Sauf exception, seuls les enfants des familles favorisées prolongent leurs études.

Dans ce contexte, **le regard de la société sur les femmes évolue lentement**. Elles ont voté pour la première fois en 1945. Elles sont un peu plus nombreuses à travailler, mais les femmes mariées ne peuvent pas occuper un emploi sans l'autorisation de leur mari (cette loi changera en 1965). Dans les magazines féminins, la description de la femme parfaite correspond à l'épouse modèle, chargée de l'éducation des enfants et de la tenue de la maison. Les romans-photos, dans des revues comme *Nous deux*, ont un grand succès. Ils présentent des histoires à l'eau de rose dans lesquelles l'amour se tient toujours loin du scandale. Cette morale qui pèse en particulier sur les femmes a par exemple entraîné le licenciement d'une présentatrice de télévision en 1964 : elle avait osé porter une tenue qui dévoilait ses genoux !

Les Français sont de **grands lecteurs de journaux**. Le quotidien *France-Soir*, par exemple, écoule régulièrement plus d'un million d'exemplaires. Il intègre des articles politiques, des faits divers, mais aussi des romans-feuilletons et de courtes bandes dessinées. Seuls 6 % des foyers français sont équipés d'une télévision au milieu des années 1950 : il est donc naturel que les journaux soient une source d'information très importante.

Or, l'actualité de la décennie est riche : dès la fin de la Seconde Guerre mondiale, un conflit a éclaté dans ce qu'on appelait « l'Indochine française » (le Vietnam, le Cambodge et le Laos actuels). Les peuples réclament leur indépendance. En France, plusieurs écrivains militent pour la fin d'une guerre qu'ils estiment injuste : parmi eux, on trouve Jean-Paul Sartre, Michel Leiris, Jacques Prévert, Boris Vian. Alors que **le conflit se clôt en 1954** avec le retrait des troupes françaises, un nouveau trouble politique apparaît aussitôt : c'est le **début de la guerre d'indépendance de l'Algérie**. La situation devient si complexe que, en 1958, on rappelle au pouvoir **le général de Gaulle**, héros de la Seconde Guerre mondiale. Sur le plan économique, il prend une mesure qui signale encore que la France est en pleine mutation tandis que paraît *Zazie* : **la monnaie change** le 1er janvier 1960, 100 francs anciens deviennent 1 franc nouveau (aujourd'hui, cela représenterait 15 centimes d'euro).

Le vrai/faux

- ***La culture américaine influence la jeunesse des années 1950.***
- ***Il y a peu de chômage dans cette période.***
- ***La plupart des Français possèdent alors une télévision.***

Ce qu'il s'est passé au moment de la création de *Zazie dans le métro*

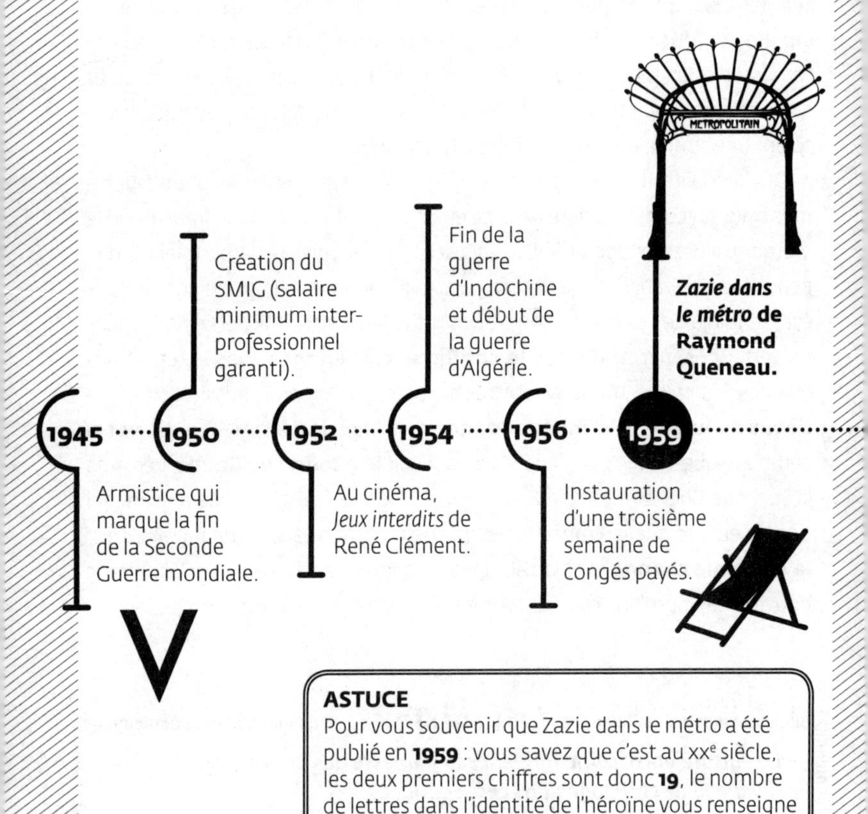

ASTUCE

Pour vous souvenir que Zazie dans le métro a été publié en **1959** : vous savez que c'est au XXe siècle, les deux premiers chiffres sont donc **19**, le nombre de lettres dans l'identité de l'héroïne vous renseigne pour les deux derniers : Zazie (**5**) et Lalochère (**9**).

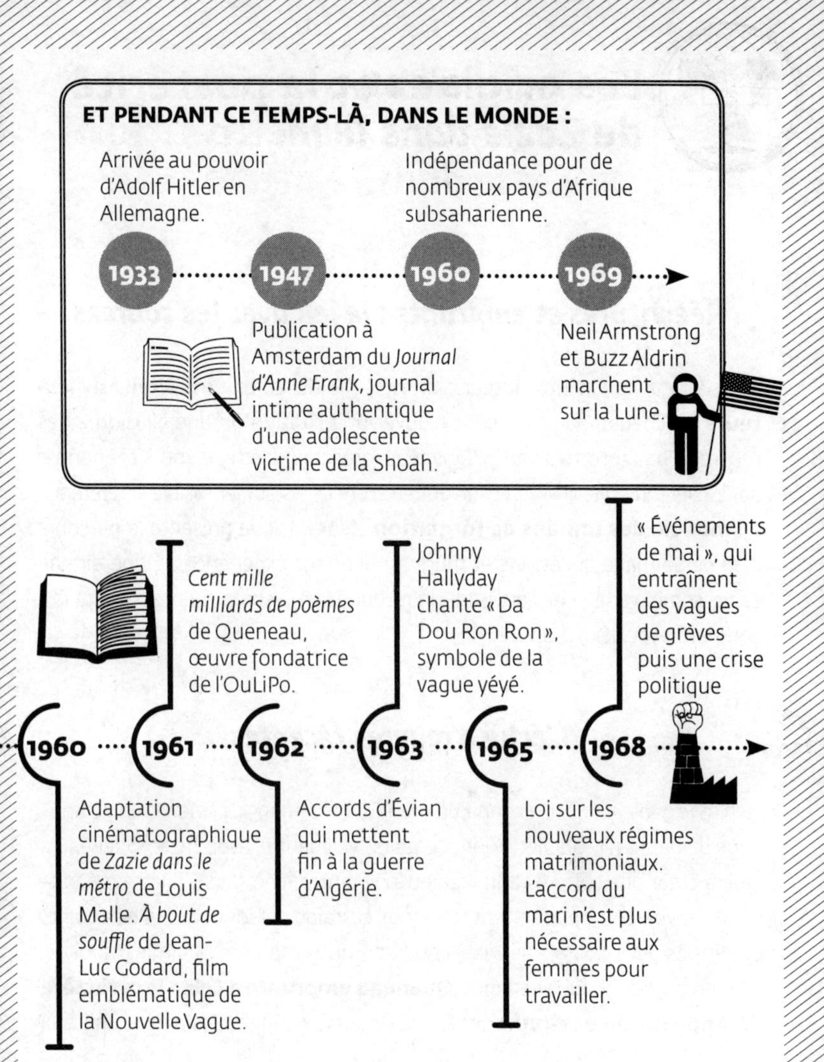
ET PENDANT CE TEMPS-LÀ, DANS LE MONDE :
Arrivée au pouvoir d'Adolf Hitler en Allemagne.
1933
1947
Publication à Amsterdam du *Journal d'Anne Frank*, journal intime authentique d'une adolescente victime de la Shoah.
Indépendance pour de nombreux pays d'Afrique subsaharienne.
1960
1969
Neil Armstrong et Buzz Aldrin marchent sur la Lune.
1960
Adaptation cinématographique de *Zazie dans le métro* de Louis Malle. *À bout de souffle* de Jean-Luc Godard, film emblématique de la Nouvelle Vague.
1961
Cent mille milliards de poèmes de Queneau, œuvre fondatrice de l'OuLiPo.
1962
Accords d'Évian qui mettent fin à la guerre d'Algérie.
1963
Johnny Hallyday chante « Da Dou Ron Ron », symbole de la vague yéyé.
1965
Loi sur les nouveaux régimes matrimoniaux. L'accord du mari n'est plus nécessaire aux femmes pour travailler.
1968
« Événements de mai », qui entraînent des vagues de grèves puis une crise politique

Les origines et la postérité de *Zazie dans le métro*

Réécritures et emprunts : le jeu avec les sources

Avec *Zazie dans le métro*, l'auteur s'amuse à multiplier les **clins d'œil aux lecteurs** : à chaque page, on peut trouver une citation ou une allusion à des œuvres d'horizons très variés. Queneau, grâce aux derniers mots prononcés par Zazie – « J'ai vieilli » –, fait surtout en sorte que soit bien visible la référence au **modèle des romans de formation** : leur intrigue présente le parcours d'un personnage qui évolue et mûrit au fil de ses expériences. L'itinéraire de Zazie, semé d'embûches et visant un retour à la maison, a même souvent été comparé avec celui d'Ulysse.

L'écho d'œuvres récentes

Le film *Jeux interdits*, qui a connu un grand succès en 1952, présente un personnage de petite fille, Paulette, innocente et touchante : avec Zazie, Queneau a joué à créer une sorte d'« anti-Paulette ». En revanche, Zazie, fillette préadolescente vue comme une tentatrice par certains personnages, a des points communs avec Lolita, l'héroïne éponyme du roman de Vladimir Nabokov, écrit en anglais et publié en 1955. **Queneau emprunte à *Lolita* le caractère dérangeant du personnage**. Enfin, on retrouve dans *Zazie* de nombreux éléments de *La Traversée de Paris*, film réalisé par Claude Autant-Lara d'après une nouvelle de Marcel Aymé, un écrivain que Queneau connaissait bien. Ce film livre un regard sans complaisance sur la vie des Français sous l'Occupation. On y rencontre, au cours d'une errance nocturne dans Paris : un personnage de chauffeur de taxi, des policiers, le mystère sur l'identité d'un personnage, une scène finale dans une gare. Pour écrire *Zazie*, Queneau a donc aussi **utilisé et mélangé des souvenirs** d'œuvres récemment découvertes.

Un succès foudroyant

Zazie dans le métro fait sensation à sa publication et Queneau devient extrêmement populaire. Les journalistes titrent alors leurs articles à la manière de l'auteur : « *Zazie dans le métro* ou keskididon Rémonkeno » (*Libération*, 28 janvier 1959). Le « mon cul » de Zazie séduit les lecteurs, qui **voient d'abord la dimension comique** du roman.

L'adaptation cinématographique dès l'année suivante

Quelques mois seulement après la publication du livre, le jeune réalisateur **Louis Malle** entreprend de l'adapter au cinéma. Il considère ce projet comme une expérience, car il veut essayer de **jouer avec le langage du cinéma** comme Queneau a joué avec le langage du roman. Il crée de nombreux gags visuels. Malgré de bonnes critiques, le film échoue à convaincre le public, dérouté par son originalité radicale.

Les mots ont une histoire

?!?!?!
Les néologismes

Amerloquaine : adjectif forgé à partir de la désignation argotique des Américains, les « Amerloques ».

Doukipudonktan : ce premier « mot » du roman a de quoi surprendre les lecteurs ! Mais est-ce tout à fait un mot ? Il est si étrange que l'on doit s'appliquer pour le lire, ou plutôt pour l'entendre : « D'où qu'ils puent donc tant ? » Quand le sens s'éclaire, on voit bien qu'il s'agit plutôt d'une phrase entière, ici une phrase interrogative, dont tous les mots ont été transcrits phonétiquement puis agglomérés en un seul bloc : un vrai monstre orthographique ! Queneau en a dispersé plusieurs dans le récit, et leur découverte semble avoir particulièrement amusé les lecteurs.

Éonisme : pour fabriquer ce mot, Queneau a davantage respecté les règles du français. Mais pour le comprendre, il faut avoir une bonne culture générale : en effet, il s'agit d'une référence au chevalier d'Éon, un noble qui a vécu au XVIIIe siècle et qui était un diplomate et espion au service du roi Louis XV. Il est resté célèbre pour sa capacité à se faire passer pour une femme, si parfaitement qu'à la fin de sa vie plus personne n'était sûr de son sexe. En ajoutant le suffixe -isme au nom du chevalier, Queneau forge un nom commun qui désigne le fait, pour un homme, de se faire passer pour une femme. Au chapitre 6, Trouscaillon accuse donc Gabriel d'éonisme.

Euréquation : Queneau utilise ici la technique du mot-valise, c'est-à-dire qu'il fusionne le début d'un mot avec la fin d'un autre. On reconnaît l'exclamation grecque : « Eurêka ! », qui signifie « J'ai trouvé ! », et qu'aurait utilisée le savant grec Archimède au moment où il a découvert les lois physiques définies par la « poussée d'Archimède ». « Eurêka » se combine ici à « équation », qui désigne une égalité en mathématiques. Charles exprime ainsi une « euréquation » quand, après réflexion, il parvient à identifier un monument parisien.

Exétéra : c'est la traduction, par Queneau, de l'expression latine « et cetera » qui signifie : « et toutes les autres choses ». Elle est beaucoup utilisée à l'oral, et souvent déformée. Queneau agglomère les deux mots, et prend acte de l'erreur phonétique courante ([TS] devient [KS]) pour en faire un petit monstre d'orthographe.

Hanvélo : dans *Zazie*, ce mot est un nom commun qui, comme tous les substantifs, peut avoir un *s* au pluriel. Il désigne « celui qui se déplace à vélo », ou même plus précisément, dans le contexte (fin du chapitre 16), « le policier qui se déplace à vélo ». On peut noter que Queneau joue encore avec une faute de grammaire très courante : la confusion entre la préposition « à », que l'on doit utiliser pour les moyens de transport que l'on chevauche (vélo, moto, cheval), et la préposition « en » lorsque l'on est à l'intérieur (voiture, train, avion).

Lagoçamilébou : sur le modèle de « Doukipudonktan », il s'agit de la phrase contractée « La gosse a mis les bouts ». « Gosse » désigne un enfant, ici c'est Zazie, tandis qu'on reconnaît ensuite l'expression argotique « mettre les bouts », empruntée au vocabulaire de la navigation, et qui signifie « s'en aller ».

Liquette ninque : cette expression inventée montre encore le rôle comique des néologismes. En effet, Queneau déforme ici une expression latine en la transcrivant avec les codes orthographiques du français : « *hic et nunc* » signifie « ici et maintenant ». Mais surtout, il en profite pour introduire un jeu de mots, puisqu'une « liquette » désigne aussi familièrement une chemise. Or, dans le passage concerné (chapitre 3), Gabriel revendique le droit, pour Marceline, de faire sa lessive sans machine à laver, ainsi que celui, pour lui, de « laver son linge sale en famille » : l'expression désigne le fait de régler ses problèmes sans que des tiers s'en mêlent.

Somnie : nom féminin fabriqué par Queneau à partir d'« insomnie » auquel il a ôté le préfixe négatif. La « somnie » est donc un synonyme du sommeil. Le lecteur peut prendre cette invention pour un mot savant, car elle est très proche de la racine étymologique latine *somnus*.

Vuvurrer : on reconnaît ici une déformation du verbe « susurrer » qui signifie

« murmurer ». Queneau invente ce mot car il permet dans le contexte un jeu d'allitération : « Oh voui, vuvurre Zazie » (chapitre 4). Cette allitération insiste de façon comique sur le ton de Zazie, marqué par la convoitise : elle va enfin porter des bloudjinnzes !

L'argot

Baba : désigne le postérieur. On retrouve le terme dans l'expression tout aussi argotique « l'avoir dans le baba ». Un autre terme argotique renvoyant à une partie du corps est souvent utilisé par Queneau : le « tarin », c'est-à-dire le nez, que Gabriel se tamponne avec un mouchoir parfumé.

Crouilles : il s'agit d'une désignation raciste et insultante des gens originaires du Maghreb. Elle est d'ailleurs utilisée par une femme appartenant au groupe qui entoure Zazie lorsque celle-ci accuse Turandot de lui avoir dit « des choses sales ». Sous prétexte de défendre l'enfant, ces passants sont clairement animés d'une curiosité malsaine. En mettant le terme « crouilles » dans la bouche de ce personnage hypocrite et manipulable, Queneau montre la bêtise du racisme dans l'opinion.

Loufiat : ce terme vieilli est péjoratif. C'est une façon méprisante de désigner un garçon de café.

Mouflette : c'est le féminin de « mouflet » qui signifie « enfant », de manière argotique et légèrement péjorative. Le terme vient de l'ancien français : l'adjectif « mouflet » signifiait « tendre, mou ». Dans le roman, l'utilisation du mot par Gabriel est plutôt affectueuse : « Tu vois comment ça raisonne déjà bien une mouflette de cet âge ? »

Pébroque : désigne un parapluie. Pour de nombreux objets dans le roman, Queneau recourt systématiquement aux noms argotiques : le chapeau est un « bada », les chaussures des « tatanes », les poches des « fouillouses ».

Roussins : l'un des termes désignant les policiers en argot.

Les mots savants ou rares

Antagoniste : c'est un terme très littéraire, forgé d'après la langue grecque, pour désigner un opposant, un rival. Il est composé du préfixe « ante- » qui signifie « face à » et du nom « *agôn* » : le combat. Dans le roman, le mot désigne les garçons de café qui s'opposent au groupe de Gabriel et Zazie.

Épithalames : il s'agit encore d'un mot d'origine grecque, utilisé dans le domaine littéraire. Les épithalames sont des chants ou des poèmes lyriques composés à l'occasion des mariages pour célébrer les époux.

Hypospadie balanique : c'est le nom médical savant, emprunté au grec, d'une malformation de l'orifice urinaire chez le garçon. « Balanique » est l'adjectif qui désigne tout ce qui concerne le gland, dans l'organe génital masculin. Or, dans le roman, l'emploi de cette expression savante est déconnecté de sa signification : Queneau semble s'amuser à introduire ce lexique médical pour le plaisir de sa rareté.

Lamellibranches : c'est encore un mot appartenant au vocabulaire scientifique. Il désigne la famille des mollusques aquatiques qui possèdent des branchies en forme de lamelles. Dans cette famille, on trouve par exemple les huîtres et les moules. Queneau utilise ce terme savant dans un contexte très éloigné des études scientifiques : ce sont les moules que Zazie dévore au restaurant.

Pentasyllabe monophasée : Queneau donne ici un nom très élégant à l'un de ses monstres orthographiques. En effet, dans le vocabulaire littéraire, une phrase pentasyllabe compte cinq syllabes, tandis que le terme « monophasée » signifie ici « prononcée en une seule émission de voix ». La « pentasyllabe monophasée » est en fait la réplique de Gabriel : « skeutadittaleur » (« ce que tu as dit tout à l'heure »).

Satyre : le mot vient du grec et désigne d'abord des personnages de la mythologie. Les satyres sont associés au dieu de la fête et de l'ivresse, Dionysos, et à une sexualité débridée. Ils sont souvent représentés comme des créatures avec un buste humain et le bas du corps d'un bouc. Le mot a acquis un sens dérivé depuis la fin du XIXe siècle : en référence au comportement sexuel du personnage mythologique, le satyre désigne aussi un homme obsédé par le sexe, qui poursuit des inconnues, notamment des petites filles, et qui commet des actions répréhensibles.

TRADUISEZ : DU « RÊMONKENO » AU FRANÇAIS COURANT

1. Transcrivez en français correct les expressions suivantes : « Ltipstu » (chapitre 5) ; « iadssa » (chapitre 6) ; « kouavouar » (chapitre 8) ; « vozouazévovos » (chapitre 10) ; « apibeursdè touillou » (chapitre 14).
   Attention, plus difficile : « Avant que la Mouaque **utu** le temps de répondre, Zazie avait ajouté » (chapitre 12) ; « Jamais on **upu** croire qu'il y en **u** tant » (chapitre 17).
2. Traduisez ces termes argotiques, et réfléchissez à leur composition : « éconocroque » ; « valoche ».
3. Parfois Queneau utilise au contraire un lexique très soutenu. Il lui arrive de choisir des mots rares, alors qu'il en existe de plus courants. Réécrivez la phrase suivante dans un français plus usuel : « Eh bin voilà, dit Madeleine en reprenant sa respiration laissée un peu à l'abandon dans les spires de l'escalier. »

IMITEZ : DU FRANÇAIS AU « RÊMONKENO »

1. Transformez les phrases suivantes selon le modèle de « Doukipudonktan » : « Ce qu'il est pénible tout de même ! » ; « Je ne l'avais pas vu venir. »
2. Cherchez les termes argotiques correspondant aux mots : « chaussures » ; « chien » ; « chose » ; « collège » ; « casser ».
3. Transformez la phrase suivante en remplaçant au moins deux mots courants en mots savants ou rares : « Les moustaches du chat remuent. »

ENQUÊTES LEXICALES

1. Sachant que :
   – l'on dit d'une personne qui a peur ou qui n'aime pas les étrangers qu'elle est xénophobe,
   – l'on dit d'une personne qui parle la langue française qu'elle est francophone,
   que peut donc signifier, p. 113, le néologisme de Queneau « xénophone » ?
2. Sachant que le nom commun masculin « cicérone » désigne un guide touristique dont le discours est particulièrement riche, que peut signifier, p. 147, le verbe « cicéroner » inventé par Queneau ?
3. À quelle classe grammaticale appartient le néologisme « alexandrinairement », p. 108 ? Faites des hypothèses sur sa signification.

Les noms propres sont porteurs de sens

On l'a compris, Queneau aime jouer avec les mots, et les noms des personnages ne font pas exception. Chacun d'eux constitue un clin d'œil au lecteur, qui peut à son tour s'amuser à déchiffrer ces allusions.

Charles : ce prénom rappelle Charles Bovary, le mari d'Emma dans le roman de Gustave Flaubert, *Madame Bovary*. Son amour pour sa femme n'est pas récompensé, Emma le trompe et le ruine. Or, lorsque Zazie rencontre Charles, dans le premier chapitre, celui-ci est occupé à lire le courrier du cœur dans un journal. Il souhaite se marier, mais il a très peur de « mal tomber » : comme s'il redoutait le destin de Charles Bovary !

Fédor Balanovitch : son nom de famille désigne littéralement le « fils du gland ». De là, on peut considérer deux interprétations : il est un chêne en devenir, et il est donc associé à la majesté de cet arbre. Queneau, qui s'était bien sûr intéressé à l'étymologie de son propre nom, aime l'image du chêne, car « Quen » signifie à la fois « chêne » et « chien » en patois normand. Mais le gland désigne aussi une partie du sexe masculin…

Jeanne Lalochère : de nombreuses jeunes femmes des années 1950 se prénommaient Jeanne (on pense par exemple à l'actrice Jeanne Moreau), et le mot « lochère » est un toponyme assez répandu, il signifiait « domaine » en ancien français. Pourtant, il est difficile de ne pas entendre résonner le terme argotique « loche », qui désigne une forte poitrine.

Zazie : c'est le seul nom dont Queneau lui-même a fourni la clé. Dans une interview, il explique que Zazie est une référence aux zazous. Ce terme désigne une mode adoptée par des jeunes des années 1940, qui portaient des vêtements américains, des cheveux longs, adoraient le jazz et semblaient se moquer de tout, même de la guerre. Cette attitude leur attirait la haine de la jeunesse fasciste française sous l'Occupation. Mais en plus de cette explication par l'auteur, la sonorité du nom évoque aussi la zizanie, que le personnage de Zazie sait parfaitement semer !

Dernières observations avant l'analyse

1. *Un titre pour rire ?*

Le rôle du titre de roman est essentiel : il doit donner envie de lire le livre, mais surtout, il crée chez le lecteur ce que la critique littéraire appelle un « horizon d'attente ». En d'autres termes, il **déclenche l'imagination** du lecteur, qui peut alors construire une idée de ce qu'il va découvrir : un univers, des bribes de scénario, des images de personnage.

Parfois, les titres fournissent des pistes claires pour déterminer la thématique essentielle de l'œuvre. On peut citer les romans d'Hugo : *Le Dernier Jour d'un condamné, Notre-Dame de Paris, Les Misérables*... Parfois, le titre est plus mystérieux, comme celui de *L'Écume des jours*, de Boris Vian. Certains ressemblent même à des pièges pour dérouter le lecteur, comme dans *Le Roman inachevé*, d'Aragon, qui est en fait... un recueil poétique !

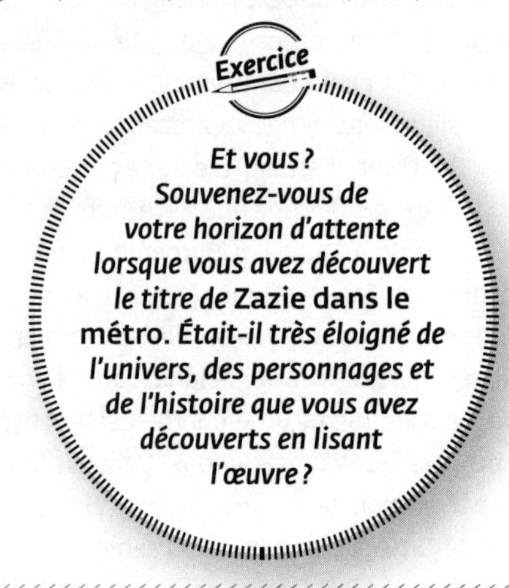

2. *Zazie et le métro*

S'il y en a bien une dont les attentes sont déçues, c'est Zazie ! On peut d'ailleurs penser que le titre du roman exprime ce dont la petite fille rêve : en venant exceptionnellement à Paris, elle s'imagine avec bonheur « dans le métro ». Ce désir donne au personnage un côté très enfantin et ressemble même à **une caractéristique réaliste**. En effet, de nombreux enfants considèrent les moyens de transport comme de merveilleuses distractions.

Pourtant, **l'acharnement de Zazie** à découvrir le métro peut étonner : c'est cela qui la pousse à s'enfuir de l'appartement de Gabriel et Marceline, où elle est en sécurité, pour affronter les risques de la ville. Tout au long du récit, elle ne cesse de se plaindre de la grève qui la prive de l'expérience du métro. Elle est hostile aux autres moyens de transport, et déclare au sujet du taxi de Charles : « Il est rien moche son bahut » (chapitre 1), puis quand Gabriel veut la faire monter dans le car des touristes : « Faut tout de même pas [...] s'imaginer que je vais me laisser trimbaler avec tous ces veaux » (chapitre 8). Ironie du sort : Zazie parvient finalement à ses fins, puisqu'**elle effectue en métro son dernier trajet** à Paris, mais, **endormie**, elle ignore son bonheur et ne s'éveille qu'une fois sur le quai de la gare, de retour auprès de sa mère.

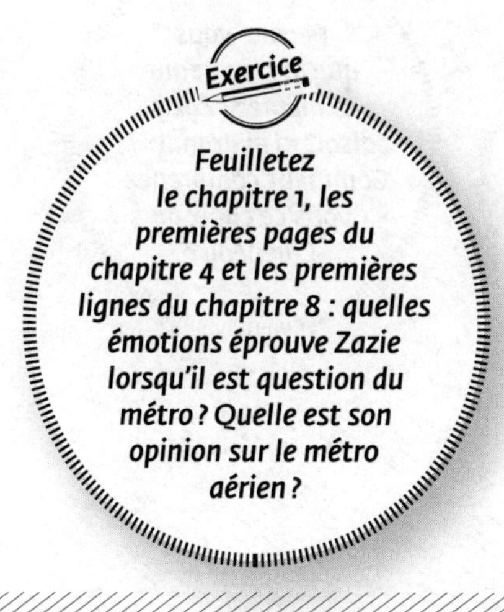

3. La symbolique du métro

Il faut donc réfléchir au sens de cette obsession chez Zazie. Pour cela, l'étymologie du mot « métro » peut nous aider. « Métro » est l'apocope courante (c'est-à-dire la version raccourcie) de « métropolitain », qui signifie « de la métropole ». On reconnaît le nom grec « *polis* » : la ville, et le préfixe **« métro- » : mère, matrice, utérus**. La « métropole », c'est donc la « ville-mère », même si le nom a évolué en latin pour signifier précisément « capitale d'une province ».

En suivant ce fil, on peut donner une **interprétation symbolique à la quête** du métro par la petite Zazie : faire l'expérience du métro, ce serait alors revenir dans une sorte d'utérus (comme dans le ventre de la mère) et cela permettrait une nouvelle naissance, c'est-à-dire l'accès à une nouvelle étape de la vie. Ainsi, réussir à emprunter le métro serait comme un **passage initiatique** pour quitter l'enfance. Cette interprétation est renforcée par les derniers mots du livre. En sortant du métro, Zazie déclare : « J'ai vieilli. »

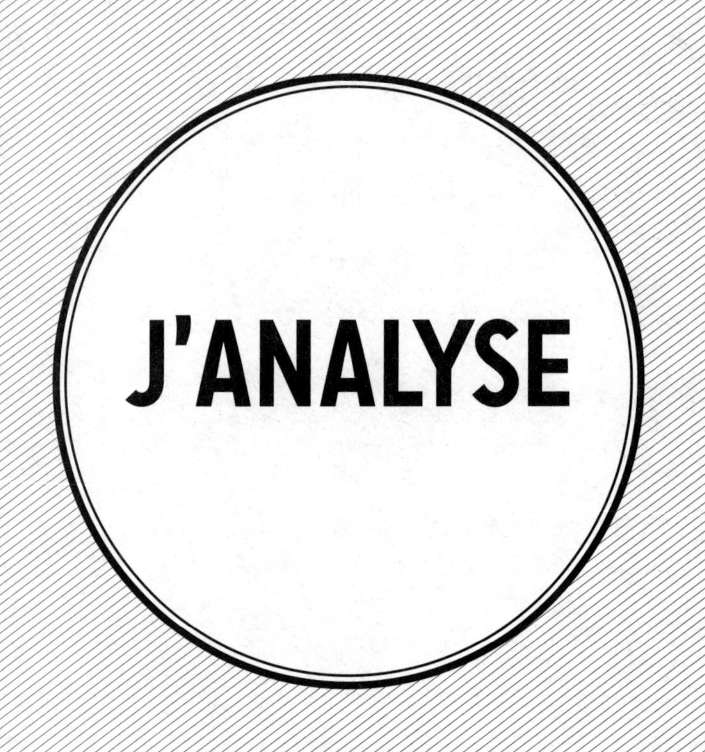

J'ANALYSE

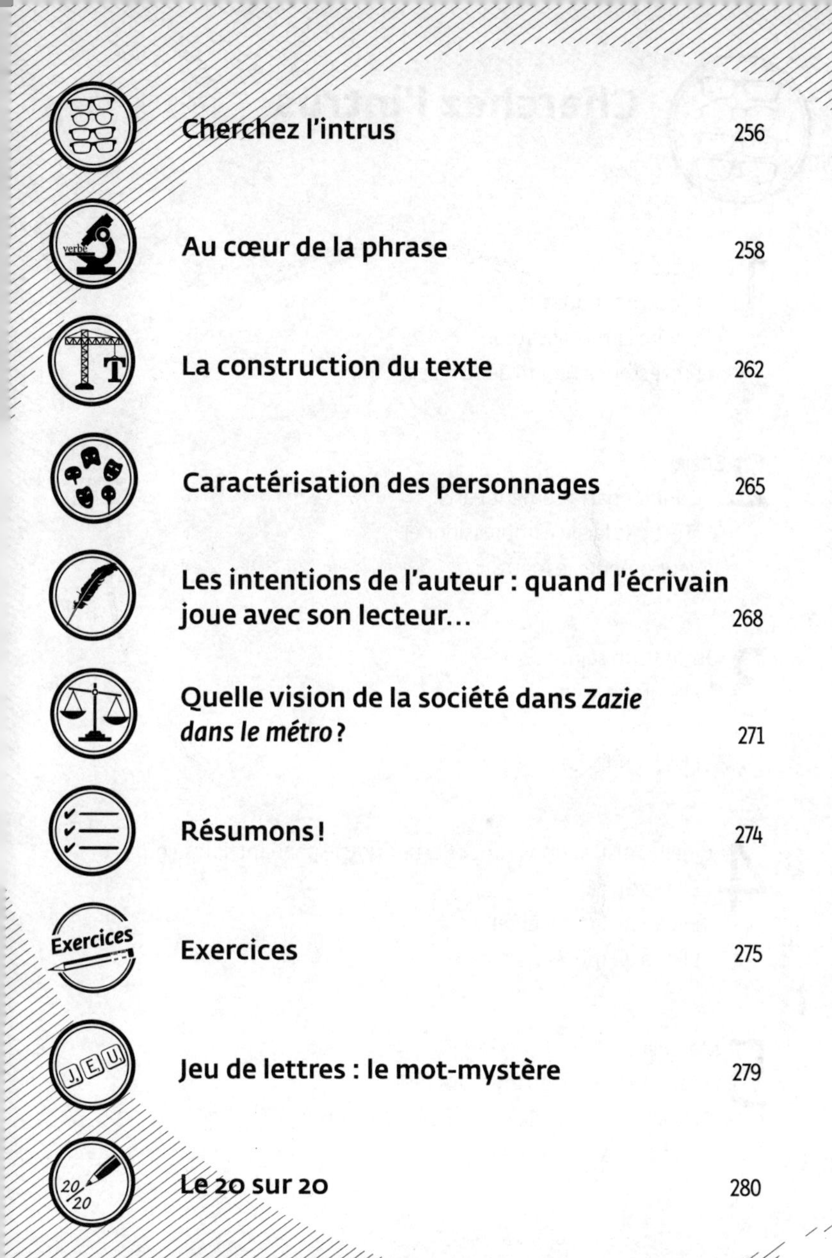

Cherchez l'intrus

1 Gabriel est :

Grand et imposant.

Sévère et moralisateur.

Protecteur à l'égard de sa nièce.

2 Zazie :

Connaît parfaitement Paris.

N'est pas facile à impressionner.

Veut prendre le métro.

3 Durant son séjour :

Elle prend le car.

Elle prend le bateau.

Elle prend le taxi.

4 Quelles distractions sont offertes à Zazie pendant son séjour ?

Elle va au cabaret.

Elle visite la tour Eiffel.

Elle va au musée.

5 Marceline :

Est une femme au foyer discrète.

Ne joue pas un rôle majeur dans l'action.

S'appelle aussi Marcel.

6 Les touristes de Fédor Balanovitch :

Se prennent de passion pour Zazie.

Se prennent de passion pour Gabriel.

Souhaitent absolument visiter la Sainte-Chapelle.

7 Zazie semble penser le plus souvent :

À la sexualité et à ses mystères.

Au métro.

À ses camarades d'école.

8 S'agissant de l'invitation des touristes et des amis de La Cave au spectacle de Gabriel :

Elle était prévue depuis l'arrivée de Zazie.

Elle permet de fêter les fiançailles de Mado Ptits-pieds avec Charles.

Elle doit prouver à Zazie que son oncle n'est pas un « hormosessuel ».

9 Après le spectacle :

Charles et Madeleine s'en vont.

Zazie s'en va.

Les touristes s'en vont.

10 Sur le quai de la gare à la fin du roman :

On retrouve les mêmes personnages que dans l'incipit.

Zazie est à l'heure pour retrouver sa mère.

Zazie est arrivée en métro.

Au cœur de la phrase

1. *L'oralité dans la syntaxe, le lexique et la graphie*

On le sait, les codes de la langue orale (c'est-à-dire la façon dont elle fonctionne) et les codes de la langue écrite sont différents. Et c'est naturellement la langue écrite que l'on s'attend à trouver dans un roman. Mais Queneau, comme quelques écrivains avant lui, joue à **utiliser à l'écrit les codes de la langue orale**. En fait, l'oral apparaît depuis longtemps dans les dialogues : les romanciers imitent souvent une parole authentique, et les personnages sont caractérisés par leur façon de parler.

Ce qui est presque nouveau, c'est que la voix du narrateur lui-même est marquée par l'oralité dans *Zazie*. Queneau s'amuse à inventer une langue littéraire en plongeant la langue écrite dans le bain des raccourcis, des déformations et même des erreurs de la langue orale. L'incipit à lui seul nous en fournit de nombreux exemples. On trouve d'abord **l'irruption d'un terme argotique** dans une phrase respectant par ailleurs une structure écrite correcte : « Gabriel extirpa de sa manche une pochette de soie couleur mauve et s'en tamponna le **tarin**. » Le narrateur poursuit dans une langue familière, en utilisant un peu plus loin l'expression « bonne femme » pour désigner un personnage féminin. La deuxième stratégie d'oralisation du texte consiste dans **des modifications syntaxiques**. Oublier l'adverbe « ne » dans les phrases négatives est l'exemple le plus évident : « Elle pensait pas à elle en disant ça, elle était pas égoïste. » On trouve même un peu plus loin une suppression plus importante, celle du verbe : « Pas mécontent de sa formule, le ptit type. » Avec « le ptit type » apparaît une troisième façon d'oraliser l'écrit : il s'agit de **retranscrire les déformations populaires** des mots. On l'observe souvent avec le pronom « je », comme dans « chsuis », ou « jparie », ou avec les articles définis : « lcoin ». Bien sûr, « cela » devient « ça », et « celui-là » « çui-là ». Les mots qui présentent des doubles consonnes souvent écorchées sont écrits avec cette erreur : « espliquer » ou encore « esspliquer » au lieu de « expliquer », « ostiné » pour « obstiné ».

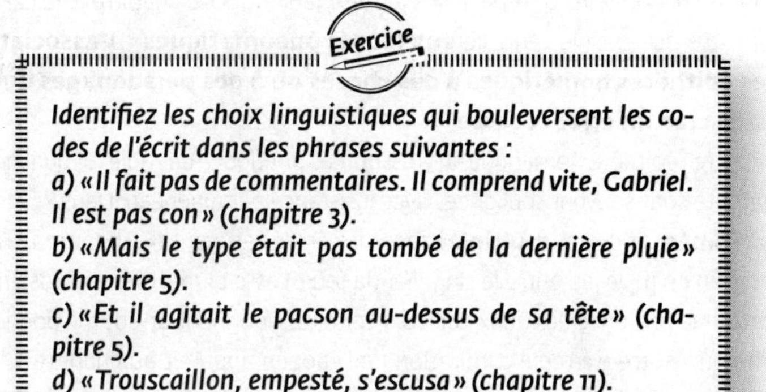
Exercice

Identifiez les choix linguistiques qui bouleversent les codes de l'écrit dans les phrases suivantes :
a) « Il fait pas de commentaires. Il comprend vite, Gabriel. Il est pas con » (chapitre 3).
b) « Mais le type était pas tombé de la dernière pluie » (chapitre 5).
c) « Et il agitait le pacson au-dessus de sa tête » (chapitre 5).
d) « Trouscaillon, empesté, s'escusa » (chapitre 11).

2. *L'utilisation des expansions du nom*

On a vu que Queneau utilise les codes de la langue orale, mais ce qui rend l'écriture de *Zazie dans le métro* si surprenante, c'est que cet emprunt en côtoie de nombreux autres dans l'œuvre. Ainsi, à côté de l'argot et des déformations populaires, le lecteur découvre des **tournures très littéraires**. Les expansions du nom, en particulier, sont traitées de façon singulière dans le roman. Pour rappel, le terme désigne trois fonctions grammaticales : l'épithète, le complément du nom et la proposition subordonnée relative.

Dans les œuvres d'Homère, on trouve une utilisation spécifique de ces fonctions, très caractéristique du registre épique : c'est **l'épithète homérique**, qui vient compléter la plupart des noms propres. Par exemple, le nom d'Athéna est souvent associé à la proposition relative « dont l'œil étincelle » ou au complément du nom « aux yeux pers ». L'Aurore n'apparaît jamais sans son complément du nom « aux doigts de rose », tandis que les adjectifs qualificatifs « ingénieux » ou « rusé » accompagnent souvent Ulysse. Or, Queneau résiste rarement à la tentation du clin d'œil à l'épopée. Les contrôleurs du métro en grève sont donc désignés comme « les employés **aux pinces perforantes** » (dans les années 1950, des contrôleurs circulaient dans le métro pour poinçonner les tickets). Dans les derniers mots du chapitre 8, le car des touristes devient « le véhicule **aux lourds pneumatiques** ». **L'association des épithètes homériques à des choses ou à des personnages quotidiens crée un effet cocasse**.

Outre l'épithète homérique, les ressources poétiques de l'adjectif qualificatif épithète sont souvent soulignées avec insistance par Queneau. Dans « La foule **parfumée** dirige ses **multiples** regards vers les arrivants » (chapitre 1), l'allitération en [f], le jeu entre le singulier (la foule) et le pluriel (ses regards), mais surtout la présence des deux adjectifs épithètes, donnent un souffle poétique. Enfin, un autre exemple d'imitation de l'épopée apparaît au chapitre 7 : « la présentation d'un fromage **morose** par la servante **revenue** ». De nouveau, on a deux adjectifs qualificatifs presque côte à côte. Ici, on observe un phénomène de glissement d'une des épithètes : « morose » pourrait tout aussi bien qualifier « la servante » que le fromage. Cet effet s'appelle **une hypallage**, et la plus célèbre de la littérature se trouve dans un vers de l'épopée latine l'*Énéide* : « Ils avançaient obscurs dans la nuit solitaire. »

1. Expliquez en quoi l'utilisation des expansions du nom constitue une référence à l'épopée dans : « la douce Marceline demeurée au foyer » (chapitre 8) ; « Gibraltar aux anciens parapets » (chapitre 9).

2. À votre tour, inventez une épithète homérique pour chacun des personnages du roman : Gabriel et Marceline ; Jeanne Lalochère ; Charles ; Mado Ptits-pieds ; Turandot ; Laverdure ; Gridoux ; Trouscaillon ; la veuve Mouaque ; Fédor Balanovitch.

Emprunts au langage populaire, emprunts aux plus prestigieux textes littéraires : c'est ce **mélange** qui constitue la spécificité de l'écriture de *Zazie dans le métro*. Queneau s'amuse des **chocs entre les registres de langue et entre les tonalités**.

Exercice

Après avoir compris le sens de cette phrase, vous analyserez le mélange des registres : « Mais ces quelques mots ne churent point platement et ignorés sur le trottoir ; ils tombèrent dans les étiquettes d'une qu'était rien moins que gourde » (chapitre 12).

La construction du texte

1. *Un roman comme un labyrinthe*

Faisons un test et essayez de répondre aux questions simples suivantes :

– La rencontre avec les touristes a-t-elle lieu avant ou après celle avec la veuve Mouaque ?

– Si vous deviez découper le récit en plusieurs grandes étapes, que proposeriez-vous ?

– Essayez de raconter dans l'ordre les événements de la deuxième soirée de Zazie à Paris.

Si vous éprouvez des difficultés, alors que vous venez de lire le roman, félicitations ! Vous êtes un bon lecteur, et vous auriez fait plaisir à l'auteur ! En effet, Queneau a construit un véritable labyrinthe littéraire avec *Zazie*. Pourtant, en apparence, l'organisation en chapitres est claire : 19 chapitres viennent structurer le récit, et chacun a une cohérence spatio-temporelle et thématique.

Vérifiez ! Choisissez au hasard un chapitre, relisez-le et résumez-le en quelques phrases. Vous voyez, cet exercice-là n'est pas trop difficile.

Alors pourquoi est-on si perdu à l'issue de la lecture ? Quelles sont vos hypothèses ?

Pour vous aider un peu, essayez de répondre aux questions suivantes :

– D'une page à l'autre, le lecteur peut-il prévoir ce qu'il va arriver à Zazie ? Son séjour à Paris se déroule-t-il selon un programme établi par avance ?

– Dans quel état est Zazie à partir du chapitre 16, à l'issue du spectacle de Gabriel ?

– Quel lien pouvez-vous faire avec le monologue de Gabriel au pied de la tour Eiffel : « Paris n'est qu'un songe, Gabriel n'est qu'un rêve (charmant), Zazie le songe d'un rêve (ou d'un cauchemar) et toute cette histoire le songe d'un songe, le rêve d'un rêve… »

2. L'espace et le temps, des repères fiables ?

Le lecteur peut tout de même s'accrocher à la délimitation spatio-temporelle du récit.

Calculez : combien de temps s'écoule précisément entre l'arrivée du train au chapitre 1 et les retrouvailles de Zazie et de sa mère au chapitre 19 ?

Complétez le tableau suivant pour vous aider :

	Moment	Action	Chapitre
Jour 1	Début du séjour	Arrivée du train	Chapitre 1
	« Apéro »	Le « cacocalo » avec Charles et Gabriel.	…
	Repas du soir		Chapitre 2
Jour 2	Réveil de Zazie	Dans l'appartement silencieux de Gabriel et Marceline.	Début du chapitre 3
	Repas du midi	…	…
	Repas du soir	…	Chapitre 12
Jour…	Réveil de Zazie	Sur le quai de la gare d'Austerlitz, en sortant du métro.	

Malgré ces repères identifiables, l'impression d'une plongée dans un labyrinthe est encore accentuée par le mélange entre des références réalistes à l'espace parisien et le brouillage de ces références.

a) Dans le passage suivant, repérez les monuments parisiens évoqués, cherchez-en la photo, et situez-les sur un plan de Paris :
« — Et ça ! mugit-il, regarde !! le Panthéon !!! — Qu'est-ce qu'il faut pas entendre, dit Charles sans se retourner. […] — Le truc qu'on vient de voir, c'était pas le Panthéon bien sûr, c'était la gare de Lyon. […] — Eh bien, dit Gabriel, si c'est pas les Invalides, apprends-nous cexé. — Je sais pas trop, dit Charles, mais c'est tout au plus la caserne de Reuilly. »
b) Que pensez-vous des hésitations des personnages sur l'identification de ces monuments ?

3. *Circularité et répétition dans le labyrinthe*

Comme dans tous les labyrinthes, on tourne en rond en lisant *Zazie*. D'abord, les dernières pages du roman nous ramènent là où tout avait commencé : sur un quai de la gare d'Austerlitz. Et en nous faisant tourner en rond, il n'est pas rare que le labyrinthe nous fasse passer plusieurs fois par le même endroit, ou encore que l'on ne sache plus exactement par où l'on est passé. Par exemple, non seulement l'auteur nous égare de plus en plus en nous privant de notre fil rouge (on cesse de suivre Zazie après le chapitre 12), mais encore on a l'impression de lire plusieurs fins de roman successives.

Exercice

Si vous cherchez bien, à partir de la fin du chapitre 15 et jusqu'au chapitre 18, vous trouverez jusqu'à quatre passages qui pourraient constituer des dernières lignes de roman.

Caractérisation des personnages

« La vérité ! [...] comme si tu savais cexé. Comme si quelqu'un au monde savait cexé » : voilà le lecteur averti par Gabriel. Discerner le vrai du faux, en tout cas dans le roman, n'est pas une chose facile, et le flou autour des personnages nous le montre bien.

1. *Mais qui est Zazie ?*

Avez-vous remarqué que jamais l'âge du personnage n'est mentionné dans le roman ?

Pour vous, Zazie est-elle une « vraie » petite fille (d'environ huit ans) ou une préadolescente (d'environ douze ans) ? Cherchez des arguments qui orientent vers chacune de ces deux possibilités.

Exercice

Si vous deviez choisir une actrice pour jouer le rôle de Zazie, quelles caractéristiques rechercheriez-vous ?

2. *Marcel et Gabriella : Queneau brouille les pistes*

a) Dans les passages suivants, que peut-on dire de la répartition des rôles dans le couple de Gabriel et Marceline ? À quels stéréotypes, masculin et féminin, correspond à première vue chacun des deux personnages ?
« Il fixa Zazie droit dans les yeux et ajouta méchamment :

— Marceline, elle sort jamais sans moi. »
«— Et, dit Gabriel finement, si ça lui fait plaisir à elle de faire la lessive elle-même ? Hein ?»
«Madame pourrait-elle me dire quelle profession elle exerce ? — Ménagère, répond Gabriel avec férocité. »
***b)** Relisez les dernières lignes du chapitre 2 : quel est l'effet créé ici ?*

C'est encore la dernière ligne du chapitre 5 qui apprend au lecteur, en même temps qu'au « type », la profession de Gabriel : « Danseuse de charme. » Ce personnage est donc à l'image de l'écriture du roman, qui mélange les registres : l'auteur crée un **stéréotype**, puis introduit des éléments en totale contradiction avec ce stéréotype. Le lecteur, comme Zazie, doit renoncer à être fixé sur Gabriel.

***a)** Marceline est tout aussi surprenante. À quoi la reconnaît-on dans le passage suivant de la fin du roman : «Le manipulateur du monte-charge, plongé dans l'obscurité, leur dit doucement, mais avec fermeté, de le suivre et de se grouiller ?»*
***b)** Jeanne Lalochère, elle, voit ce mystérieux personnage au grand jour dans le dernier chapitre : quel nom lui donne-t-elle ?*
***c)** Dans la cave du bar des Nyctalopes, le groupe de Gabriel, en s'enfuyant, passe à côté de nombreuses « bouteilles de muscadine et de grenadet ». Expliquez ce jeu de mots. Quel lien pouvez-vous établir entre ce jeu et le flou qui entoure Gabriel et Marceline ?*

3. *Un personnage sans identité*

La vérité sur Zazie, sur Gabriel et Marceline n'est donc pas accessible au lecteur. Mais que dire du personnage du « type » – souvent appelé « Trouscaillon », le nom par lequel il se présente à la veuve Mouaque !

D'ailleurs, il emprunte plusieurs noms et costumes dans la suite du roman :

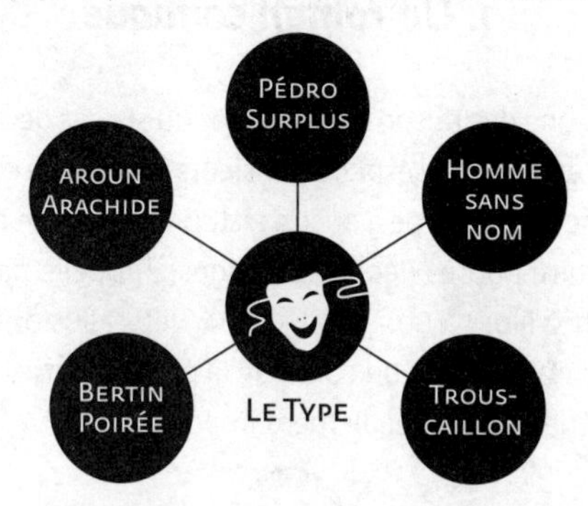

Si Zazie est persuadée que « le type », quel que soit son avatar, est un satyre, la psychologie même du personnage est indécidable.

a) Relisez le premier portrait qu'en dresse le narrateur, et visualisez le personnage :
« Elle n'en put croire ses yeux. Il était affublé de grosses bacchantes noires, d'un melon, d'un pébroque et de larges tatanes. »
À quel personnage célèbre ressemble-t-il ? Pour vous aider, souvenez-vous que Zazie se dit immédiatement qu'il ressemble à un acteur.
b) Souvenez-vous de son attitude avec plusieurs personnages : qui est-il pour la veuve Mouaque ? Sous quel aspect se présente-t-il à Gridoux (fin du chapitre 7) ? Comment se comporte-t-il avec Marceline (chapitre 15) ?

Les intentions de l'auteur : quand l'écrivain joue avec son lecteur…

1. *Un roman comique*

C'est sans doute une des raisons essentielles du succès de l'œuvre : *Zazie* fait rire ses lecteurs, et Queneau exploite plusieurs sources de comique. Bien sûr, le comique de mots n'échappe à aucun lecteur : le parfum de Gabriel, qui ne fait pas l'unanimité auprès des personnages, s'appelle par exemple « Barbouze, […] de chez Fior ». « Bouse » et « fion », deux allusions au caca en trois mots : Queneau n'a pas peur du comique le plus enfantin ! Mais le comique de geste et de situation sont également importants.

a) Relisez l'épisode de la querelle avec le couple au début du chapitre 1 : identifiez le comique de geste. À quels autres exemples pensez-vous ?
b) Pourquoi peut-on parler de comique de situation dans les passages qui mettent en scène les touristes avec Gabriel ?
c) Le comique de caractère est moins évident à trouver : réfléchissez à ce qui peut expliquer cela.

2. *Un roman parodique*

Le sourire du lecteur vient aussi de la dimension parodique du roman. La parodie repose sur le fait d'imiter des modèles littéraires sérieux pour les utiliser dans un nouveau cadre, à l'opposé de leur contexte d'origine : comme on l'a étudié dans la partie « Au cœur de la phrase », Queneau parodie l'épopée lorsqu'il utilise une épithète homérique pour désigner le car des touristes.

Relisez le long monologue de Gabriel au pied de la tour Eiffel : de « L'être ou le néant, voilà le problème » à « des bonnes gens qui m'entourent » (chapitre 8). Expliquez pourquoi ce passage est parodique. Identifiez au moins trois sources imitées ou citées par Queneau.
Parcourez les notes de bas de page pour trouver d'autres passages parodiques.

3. *Un roman initiatique et subversif*

Queneau classe lui-même son roman dans la catégorie des romans initiatiques lorsqu'il fait déclarer à Zazie : « J'ai vieilli. » Son attrait irrésistible pour le métro peut recevoir au moins deux interprétations symboliques : si le métro est comme un ventre maternel d'où l'on peut renaître, il permet aussi une métaphore sexuelle évidente : « Je vais t'esspliquer, dit Gabriel. Quelquefois il sort de terre et ensuite il y rerentre. » Zazie ne cesse de questionner son oncle sur son « hormosessualité » supposée. La « mouflette » cherche à comprendre les secrets de l'âge adulte. En mélangeant dans ce personnage des aspects enfantins avec une obsession préadolescente pour la découverte de la sexualité, Queneau défie la morale pour laquelle enfance et innocence doivent être indissociables.

Exercices

a) Dans le chapitre 8, pourquoi Zazie fait-elle peur à Charles ?
b) Qu'a-t-elle finalement compris à l'issue de son parcours initiatique, selon vous ? Et le lecteur ? Qu'apprend-il en traversant le labyrinthe initiatique du roman ?

4. Un roman sur l'écriture du roman

Queneau joue avec les codes d'écriture du roman : langage, caractérisation des personnages, organisation du récit, tous ces éléments s'écartent de la tradition romanesque. Autant que le séjour parisien de Zazie, l'écriture même semble le sujet du livre. L'auteur fait donc signe au lecteur et lui rappelle que le monde de *Zazie* n'est qu'un monde de papier, de mots : « et toute cette histoire [n'est que] le songe d'un songe, le rêve d'un rêve, à peine plus qu'un délire tapé à la machine par un romancier idiot (oh ! pardon) ».

a) Relisez le deuxième paragraphe du chapitre 12. Comment comprenez-vous la dernière phrase : « Avec un point d'interrogation, car la réponse était percontative » ?
b) Tout est possible, quand on s'amuse à écrire une histoire : dans quels passages trouvez-vous que Queneau s'est particulièrement peu soucié de vraisemblance ou de réalisme ?

Quelle vision de la société dans *Zazie dans le métro* ?

Le roman, en particulier grâce au regard sans concession que Zazie porte sur le monde, a une **portée satirique** marquée, c'est-à-dire qu'il utilise un ton moqueur au service de la critique. Le ton est léger, et cette critique, en apparence, ne porte pas à conséquence car Queneau ne livre pas un portrait réaliste de la société française des années 1950. Mais ne nous y trompons pas, *Zazie* n'est pas tendre avec elle !

1. La guerre et l'Occupation, des souvenirs bien présents

Le roman montre que **la période de l'Occupation a laissé des traces dans les esprits**, et même dans le décor : on pense par exemple à la drôle d'épithète homérique pour désigner le comptoir du café de Turandot : « le zinc en bois depuis l'occupation ». À partir de 1941, en effet, la France occupée a dû fournir aux Allemands tout le métal possible, pour participer à l'effort de guerre nazi. Ainsi, le souvenir que Queneau ravive, c'est non seulement celui de l'Occupation, mais aussi celui, honteux et tabou, de la Collaboration. L'auteur **refuse de flatter la bonne conscience des Français**, et n'hésite pas à faire grincer des dents, dès les premières pages : « — Natürlich, dit Jeanne Lalochère qui avait été occupée. » À aucun moment dans le roman il n'est question de la Résistance : la société française n'est donc pas montrée sous son jour le plus glorieux.

Exercice

Que révèle le passage suivant quant au patriotisme de Turandot ? : « En juin 44 c'est tout juste si j'avais un peu d'or à gauche, et heureusement parce qu'à ce moment-là une bombe arrive, et plus rien. La poisse. »

2. *Une critique de l'opinion et des classes moyennes*

Les classes moyennes, en particulier les petits commerçants, constituent la frange de la société la plus moquée dans le roman. Turandot, même s'il est finalement rendu sympathique par l'image comique de son duo avec Laverdure, incarne la figure du petit propriétaire, à l'esprit étroit, exclusivement soucieux de ses intérêts et du qu'en-dira-t-on. On a une idée de son sens de l'accueil lorsque Zazie doit séjourner chez ses locataires : « Ça me plaît pas. Je l'ai dit à Gaby, pas d'histoires dans ma maison » (chapitre 2). Cette **étroitesse d'esprit** se retrouve chez les passants attirés par le scandale de Zazie lorsqu'elle accuse Turandot d'agression sexuelle (chapitre 3). La foule des petits commerçants apparaît comme manipulable, et Zazie parvient sans mal à déclencher la violence de ces curieux : « [La dame] se redresse et crache à la figure de Turandot. » Peu de temps après, les mêmes passants sont prêts à envoyer une enfant en prison parce que « le type » l'accuse de vol (chapitre 5). **Au-delà de la satire des classes moyennes, Queneau critique aussi la foule, facilement manipulable**.

Exercice

Faites une recherche sur le poujadisme, un mouvement politique des années 1950 : d'après la lecture de Zazie, pensez-vous que Queneau se sentait proche de ce mouvement ?

3. *La place des femmes*

La petite Zazie rencontre dans son aventure trois modèles de femme adulte : Mado Ptits-pieds, Marceline et la veuve Mouaque. On peut remarquer que chacune incarne **une situation par rapport au mariage** : le mariage est à venir pour Mado Ptits-pieds, il est le présent de Marceline, et le passé de la veuve Mouaque. Cela nous donne une idée de la conception de la place des femmes dans la société : le mariage est leur destin. Et **l'on ne peut pas dire que le mariage soit idéalisé dans le roman**. Dès les premières pages, on trouve cette périphrase pour désigner un mari : « celui qu'avait le droit de la grimper légalement ». Marceline, la parfaite épouse, est discrète, dévouée à son mari, bonne cuisinière : Queneau semble l'avoir imaginée en lisant les magazines féminins de l'époque, et elle correspond à l'image que se fait encore la société de la femme idéale. En sortant de chez elle, elle devient Marcel. L'idée est claire : si elle sort de chez elle pour tenir un rôle dans l'action, une femme n'est plus une vraie femme !

a) Au milieu du chapitre 13, le mariage de Charles avec Mado Ptits-pieds se confirme : observez ce qu'il se passe pour le nom du personnage féminin. Qu'est-ce que l'auteur semble ainsi insinuer ?
b) Soyez attentif à la réaction de Turandot quand, dans ce même passage, il apprend que son employée va se marier. Comment les femmes semblent-elles considérées ?

Résumons !

Voici 10 mots que vous devez replacer au bon endroit dans ce résumé de Zazie dans le métro : bloudjinnzes ; car ; disparaît ; Gabriel ; Marcel ; soldats ; somnole ; cave ; Trouscaillon ; vieilli.

Zazie est une petite fille provinciale qui vient exceptionnellement séjourner à Paris. Sa mère la confie à son frère **...** pour aller retrouver son amant. Zazie rêve de prendre le métro. Mais à son désespoir, il est en grève. Elle se résout à prendre le taxi et rencontre l'entourage de son oncle, en particulier sa tante la douce Marceline. Après une nuit de sommeil, Zazie s'en va discrètement pour se remettre en quête du métro, mais la grève continue. Elle oublie sa déception en se faisant acheter des **...** par un inconnu. Cet homme, aux intentions douteuses, la ramène chez Gabriel, puis **...** une première fois du récit. Charles conduit Gabriel et Zazie à la tour Eiffel. Ils y rencontrent un groupe de touristes étrangers dont le guide est un vieil ami de Gabriel : ce dernier décide de rester avec les touristes qui se rendent en **...** à la Sainte-Chapelle. Zazie, mécontente, persuade son oncle de descendre, mais les touristes idolâtrent Gabriel : ils l'enlèvent. Zazie se fait aborder par la veuve Mouaque et retrouve l'inconnu du matin sous les traits d'un policier nommé **...**. Le trio rejoint Gabriel, qui décide d'inviter tout le monde à assister à son numéro de danseuse de cabaret. Le groupe va manger dans une brasserie, se rend au spectacle, puis dans un bar. Zazie, à partir de là, **...**. Une bagarre éclate avec les garçons de café, et le groupe de Gabriel est victorieux. Mais des **...** encerclent alors le bar et les personnages ne doivent leur salut qu'à un mystérieux allié qui leur permet de rejoindre le métro, en passant par la **...** du bar. Le métro roule de nouveau. Zazie, accompagnée de **...**, arrive donc à l'heure pour reprendre le train avec sa mère. Elle résume son séjour par ces mots : « J'ai **...**. »

LE FURET LECTEUR : LA SOIRÉE CHEZ GABRIEL ET MARCELINE (CHAPITRE 2)

1. Décrivez la façon dont vous vous imaginez le café-restaurant La Cave et ceux qui s'y trouvent : sur quels éléments vous appuyez-vous ?
2. Repérez la première prise de parole de Laverdure. Comment comprenez-vous ces mots ?
3. Le récit, dans le chapitre, se déroule d'abord chez Turandot, puis chez Gabriel : repérez le passage où s'opère ce changement de lieu. En quoi est-il étonnant ?
4. Quelle est la boisson préférée de Gabriel ? Qu'en pensez-vous ?
5. Gabriel et Turandot sont-ils en bons termes ?

LECTURE À LA LOUPE : LES PROJETS PROFESSIONNELS DE ZAZIE (chapitre 2, de « Moi, déclara Zazie, je veux aller à l'école jusqu'à soixante-cinq ans », p. 23, à « Je serai astronaute pour aller faire chier les Martiens », p. 24)

1. Quelle est l'attitude des deux adultes face à l'enfant dans ce passage ?
2. Montrez que ces deux personnages ne pensent pas vraiment par eux-mêmes. Par quoi sont-ils influencés ?
3. Comment peut-on qualifier le rapport entre mari et femme ici ?
4. Quelle vision Zazie a-t-elle de l'école ?
5. Montrez que l'auteur travaille le comique de caractère dans ce passage.

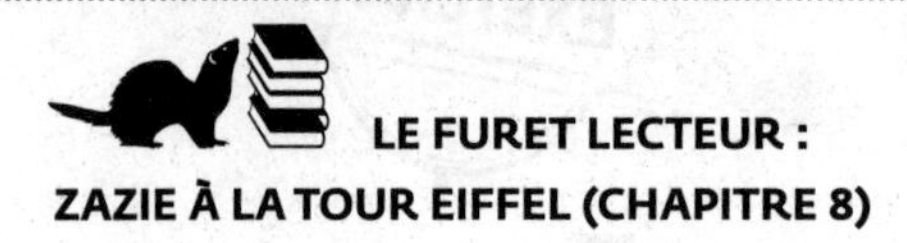

LE FURET LECTEUR : ZAZIE À LA TOUR EIFFEL (CHAPITRE 8)

1. Où les personnages se trouvent-ils à l'ouverture du chapitre ? Que font-ils ?
2. Quel type de phrase Zazie utilise-t-elle le plus lorsqu'elle se trouve seule avec Charles ? Comment Charles réagit-il ?
3. Comment situer Zazie par rapport à l'enfance dans ce passage ?
4. Quel symbole Gabriel voit-il dans la forme de la tour Eiffel ? En quoi cela fait-il écho aux préoccupations de Zazie ?
5. Quels sont les deux motifs du mécontentement de Zazie à la fin du chapitre ?

LECTURE À LA LOUPE : LE MONOLOGUE DE GABRIEL (chapitre 8, de « Debout, Gabriel médita », p. 107, à « Ils tournèrent la tête dans la direction de son regard », p. 108)

1. Qu'est-ce qui montre que Gabriel se met en scène lui-même ?
2. Malgré son caractère surprenant, on trouve une thématique principale dans ce long discours : essayez de l'identifier.
3. Qu'est-ce qui déclenche la parole de Gabriel ? Qu'est-ce qui le fait interrompre son discours ? Par quel sentiment est-il donc animé pendant le monologue ?
4. Dans quel cadre vous attendriez-vous à entendre un tel discours ?
5. Et pour les touristes, que signifie ce monologue ? Quel effet est-il produit par leurs réactions ?

LE FURET LECTEUR : BERTIN POIRÉE CHEZ MARCELINE (CHAPITRE 15)

1. La situation : pourquoi Marceline est-elle seule dans l'immeuble ? Le narrateur précise-t-il l'heure exacte ?
2. Marceline paraît-elle effrayée ?
3. Qui est Bertin Poirée ? Sous quel jour apparaît le personnage dans ce chapitre ?
4. Montrez que ce chapitre est comme un retour en arrière dans le récit, à travers le regard de Bertin Poirée : quels événements de la journée reconnaissez-vous ?
5. Que se passe-t-il dans les dernières lignes du chapitre ? Pouvait-on s'attendre à cela ?

LECTURE À LA LOUPE : PROBLÈME DE CONJUGAISON (chapitre 15, de « Il parut inquiet », p. 191, à « À poil ! », p. 193)

1. Expliquez le jeu de mots des personnages dans les deux premières répliques du passage. Dans la suite du dialogue, repérez le moment où l'écrivain reprend cette plaisanterie.
2. Quel synonyme du verbe « vêtir » Marceline propose-t-elle ? Pourquoi Bertin Poirée refuse-t-il ce terme ?
3. Sur quoi porte ici le désaccord entre les deux personnages ?
4. En consultant un dictionnaire *Petit Larousse* ou en observant de près les cinq dernières répliques du chapitre, dites ce que contiennent les pages roses, et ce qu'on trouve avant et après ces pages.
5. Cherchez « Véturie » dans un dictionnaire : quelle hypothèse d'interprétation pouvez-vous faire ?

6. Que se passe-t-il alors que Bertin Poirée est absorbé par la lecture du dictionnaire ?

LE FURET LECTEUR : NUIT DE VIOLENCE (CHAPITRES 17 ET 18)

1. Repérez les premières manifestations de la violence physique : quels personnages en sont responsables ?
2. Quels clans ennemis se constituent ensuite ?
3. Repérez le moment d'apaisement, entre les deux bagarres. Quelle situation décrivent les dernières lignes du chapitre 17 ?
4. Comparez la première scène de bagarre avec le chapitre 18 : l'atmosphère et l'effet produit sont-ils les mêmes ?

LECTURE À LA LOUPE : LA BAGARRE GÉNÉRALE (chapitre 17, de « Mais tout ceci n'était pas du goût des loufiats d'Aux Nyctalopes », p. 213, à « Cinq clients qui avaient pris parti et un épileptique », p. 215)

1. Quel personnage lance le véritable coup d'envoi de la bagarre ?
2. Quelles armes sont utilisées contre l'ennemi ? Quel est l'effet produit ?
3. Cette scène vous semble-t-elle réaliste ? Dans quel genre artistique peut-on trouver des scènes de bagarre qui ressemblent à celle-ci ?

Jeu de lettres : le mot-mystère

Trouvez les mots correspondant aux définitions suivantes, puis remettez en ordre les premières lettres de chacun d'eux pour former le nom d'un personnage mystérieux du roman :

1. Garçon de café en argot : _ _ _ _ _ _ _ _
2. Nom d'une tour trop haute pour Gabriel : _ _ _ _ _ _
3. Métier envisagé par Zazie : _ _ _ _ _ _ _ _ _ _ _ _ _
4. « Le type » veut en acheter à Gridoux pour ses tatanes : _ _ _ _ _ _
5. Nom de la gare où commence et finit l'aventure : _ _ _ _ _ _ _ _ _ _ _
6. Celle du métro n'est pas du goût de Zazie : _ _ _ _ _
7. Policiers en argot : _ _ _ _ _ _ _ _ _
8. De chez Fior : _ _ _ _ _ _ _ _
9. Dernier nom du « type » dans le roman : _ _ _ _ _ _ _ _ _ _ _ _ _ _

Tableau des initiales

1	2	3	4	5	6	7	8	9

Mot-mystère : _ _ _ _ _ _ _ _ _ _

Le 20 sur 20

Avez-vous bien lu la pièce et le dossier ? Les 10 premières questions concernent *Zazie dans le métro*, les 10 suivantes le dossier. Vous pouvez vous auto-évaluer en vérifiant les réponses qui sont à l'envers, à la page suivante.

1. Donnez, de mémoire, le premier et le dernier mot du roman.

2. Zazie connaît-elle bien son oncle lorsqu'elle arrive à Paris ?

3. Quelles réactions la fugue de Zazie provoque-t-elle chez Turandot ? Et chez Gabriel ?

4. Comment « le type » essaie-t-il d'amadouer Zazie ?

5. Comment se termine la fugue de Zazie ?

6. De quel problème « le type » se plaint-il à Gridoux lorsqu'il se rend dans sa boutique ?

7. Pourquoi Charles quitte-t-il précipitamment Gabriel et Zazie à la tour Eiffel ?

8. Le lecteur assiste-t-il au numéro de Gabriel grâce au récit ?

9. Pour quels personnages le récit se termine-t-il à la manière d'un conte de fées ?

10. Comment Gabriel et sa troupe échappent-ils à l'assaut militaire final ?

11. Raymond Queneau connaît-il bien Paris ?

12. Comment *Zazie dans le métro* a-t-il été accueilli par le public à sa publication ?

13. Quel est le principal argument qui incite à lire *Zazie dans le métro* comme un roman de formation ?

14. Que peut symboliser le métro souterrain ?

15. À quelle construction mythologique peut-on comparer la structure romanesque de *Zazie dans le métro* ?

16. Quel(s) registre(s) caractérise(nt) l'écriture du roman ?

17. Comment appelle-t-on le complément du nom employé dans « les employés aux pinces perforantes » ? Pourquoi ?

18. Quel aspect de la société française sous l'Occupation l'auteur n'hésite-t-il pas à rappeler ?

19. Quelle vision du mariage apparaît dans le roman ?

20. De quoi parle Gabriel lorsqu'il déclare : « Comme si quelqu'un au monde savait cexé. » En quoi est-ce une clé de lecture pour le roman ?

RÉPONSES

1. « Doukipudonktan » ; « vieilli ».
2. Non : c'est la première fois que Zazie rencontre Gabriel.
3. Turandot suit Zazie et essaie de la faire revenir, en vain. Gabriel, lui, a bien du mal à quitter son lit.
4. Il lui offre un cacocalo et lui achète des « bloudjinnzes ».
5. « Le type » obtient de Zazie l'adresse de Gabriel et il la raccompagne.
6. Il souffre de s'être perdu lui-même, de ne pas connaître son propre nom.
7. Les questions de Zazie, sur le mariage et la sexualité, l'ont mis très mal à l'aise.
8. Non, la narration ne nous dit rien de ce qui se passe à l'intérieur du cabaret.
9. Pour Madeleine et Charles, dont le mariage est annoncé, c'est une fin de conte de fées.
10. Ils s'enfoncent sous terre par un monte-charge et rejoignent les tunnels du métro.

11. Oui : il n'a cessé d'y vivre de ses vingt et un ans à sa mort.
12. Le roman a été un immense succès.
13. Ce sont les derniers mots prononcés par Zazie : « J'ai vieilli. »
14. Le métro souterrain est comme un ventre de mère, ou un symbole sexuel.
15. *Zazie dans le métro* est un labyrinthe romanesque.
16. Le mélange de registres opposés est la principale caractéristique de l'écriture.
17. C'est une épithète homérique, en référence aux récits de l'auteur de l'*Iliade* et de l'*Odyssée*.
18. La Collaboration, dont on trouve des références dans le roman.
19. Le mariage n'est pas idéalisé : il n'y est pas question d'amour mais de commodité, et la femme est soumise au mari.
20. Il parle de la vérité. Le roman invite à se méfier des certitudes.

NOUS
AVONS
LA PAROLE

À nous de jouer

1. *Jouez l'incipit du roman*

Par sa saveur comique autant que par son côté surprenant, l'incipit de *Zazie* séduit les lecteurs. Cette entrée décoiffante dans le récit n'est sans doute pas étrangère à l'immense succès du livre.

Pour saisir pleinement cette saveur, et vous amuser avec le texte, nous vous proposons de le jouer. Relisons, du début jusqu'à « c'est Barbouze, un parfum de chez Fior ».

Quatre « acteurs » seront engagés dans le jeu, deux donneront vie à des **voix**, deux autres à des **personnages** :

- le narrateur,
- la voix intérieure de Gabriel,
- la « bonne femme »,
- Gabriel.

Pour aider le narrateur à se préparer :

Repérez les 2 phrases et les 3 propositions incises (celles qui se trouvent au cœur des dialogues, comme « dit-il ») qui correspondent à ses interventions.

Pour chacune, déterminez des intentions, c'est-à-dire le ton sur lequel il convient de les prononcer, en particulier pour faire ressortir les effets comiques.

Pour aider la voix intérieure à se préparer :

Après avoir déterminé le texte correspondant, intéressez-vous aux variations de l'état d'esprit et de l'humeur de Gabriel pendant son discours intérieur : il est d'abord « excédé », et ensuite, par quelles émotions passe-t-il ?

Essayez différentes façons de prononcer ce discours pour donner vie aux émotions que vous aurez définies.

Pour aider « la bonne femme » à se préparer :

Attention, c'est un personnage et pas seulement une voix : quelle différence cela implique-t-il ?

Déterminez la manière dont vous trouveriez drôle de prononcer l'unique question de « la bonne femme ».

Imaginez et décrivez dans des sortes de didascalies les gestes et expressions du personnage durant tout le passage.

Pour aider Gabriel à se préparer :

Écrivez des didascalies pour décrire les gestes et attitudes du personnage pendant que sa voix intérieure s'exprime.

Définissez un ton qui rende l'unique réplique du personnage le plus comique possible.

Une piste pour tous les acteurs : pour mettre en évidence le comique, le rythme est très important. Faites des essais et introduisez de courts temps de silence au cœur du texte, des accélérations et des ralentissements dans le flux de la parole.

Un casse-tête : comment mettre en scène le duo Gabriel / Voix intérieure de

Gabriel ? Allez voir **la solution trouvée par Louis Malle dans son film**... et soyez encore plus fou que lui ! Proposez d'autres idées !

2. *Même jeu avec une scène de confrontation*

Au chapitre 15, « le type » revient voir Marceline. Il est animé de mauvaises intentions, mais sa proie semble plus maligne que lui.

Relisez le texte étudié dans l'une des « lectures à la loupe » : de « Il parut inquiet » à « À poil ! ».

Queneau vous a facilité la tâche : il a écrit la scène à la manière d'une scène de théâtre. Vous identifierez sans mal les indices qui le montrent.

Le travail du dramaturge est donc déjà achevé : il n'y a **plus qu'à mettre en scène** !

Faites une liste des meubles et objets nécessaires à la mise en scène du passage.
Observez de près les déplacements des deux personnages, en particulier à la fin de l'extrait.
Réfléchissez à des gestes et des tons qui permettront de souligner qu'en plus d'être une scène comique, il s'agit bien d'une scène d'affrontement.

3. *Dans la peau de Zazie*

Inventons une rencontre supplémentaire de Zazie au cours de son aventure parisienne : alors qu'elle est sur le chemin pour rentrer chez Gabriel accompagnée du « type », elle tombe sur une manifestation des poinçonneurs du métro. Elle les identifie à leurs pancartes et banderoles. Immédiatement, elle va à la rencontre de l'un deux. Imaginez la tirade qu'elle prononce alors (15 secondes environ).

Vous pouvez, pour préparer cette tirade, l'écrire entièrement, en essayant d'imiter la façon dont Queneau fait parler Zazie.
Vous pouvez aussi faire une liste de 5 à 10 mots-clés ou expressions à utiliser dans cette tirade, et improviser !

Pour vous aider : commencez par imaginer les revendications figurant sur les pancartes des grévistes. Nul doute qu'elles peuvent faire réagir Zazie !

Essayez de vous souvenir des deux « gros mots » préférés de Zazie et replacez-les dans sa tirade.

Rappelez-vous que le comique, quand il s'agit de Zazie, vient souvent du regard à la fois enfantin et déluré qu'elle porte sur le monde. Réfléchissez à la manière dont elle peut comprendre ce qu'est une grève, et n'oubliez pas ce qu'elle pense de l'immobilisation du métro !

Organisons le débat

Zazie, « un petit ange » ?

C'est bien ainsi que son oncle parle d'elle lorsque Marceline vient de l'emmener se coucher, au chapitre 2. Pourtant, avant même de l'avoir vue, Turandot en a une image bien différente : voyez le début du même chapitre…

Et vous ? Qu'avez-vous ressenti à l'égard de Zazie pendant votre lecture ? Vous êtes-vous parfois identifié au personnage ?

Zazie est un personnage attachant : difficile de ne pas l'aimer	**Zazie est dérangeante et désagréable : difficile de l'aimer**
• Sa mère ne semble pas s'occuper d'elle avec beaucoup d'attention : on a de la peine pour cette petite fille. • Son sens de la repartie est irrésistible, elle est vive, drôle et débrouillarde. • Par sa curiosité, Zazie oblige tout le monde à être plus sincère.	• Zazie est têtue, insolente et autoritaire : une vraie peste ! • Zazie éprouve peu de compassion pour les autres, elle est égoïste. • Son obsession pour la sexualité est un peu malsaine.

Sans nécessairement aller chercher des passages précis du texte, remémorez-vous des situations qui permettent d'illustrer chacun de ces arguments.

Traduire Zazie dans le métro *dans d'autres langues, est-ce vraiment possible ?*

Souvenez-vous : Queneau est passionné par l'apprentissage des langues étrangères. Dans le roman, il s'amuse à mettre en scène des touristes qui parlent des « langues forestières », et Gabriel épate Zazie en prononçant une phrase en anglais (chapitre 8).

Il n'a pourtant pas laissé un travail facile aux traducteurs du roman ! Lire *Zazie* dans une autre langue, qu'en pensez-vous ?

***Zazie* sera toujours *Zazie*, malgré les traductions**	**Traduire *Zazie* est presque une mission impossible**
• Dans les traductions, on reconnaîtra l'aventure de Zazie, ses visites et ses rencontres de hasard : l'univers loufoque du récit.	• L'invention d'un langage nouveau est ce qui fait toute la saveur du roman : or, ce langage nouveau est si original que la plupart des mots utilisés ne se trouvent pas dans le dictionnaire ! Que peut faire le traducteur dans ces conditions ?
• Le caractère mi-enfantin mi-déluré de Zazie se percevra sans problème dans les traductions.	• Pour créer des mots nouveaux, Queneau s'appuie souvent sur la formation traditionnelle des mots français : que deviendront « éonisme » en allemand ou « factidiversialité » en italien ?
• Même si le traducteur devra faire preuve d'imagination, il est possible de transposer les jeux de mélange des langages : par exemple, toutes les langues possèdent un vocabulaire argotique.	• Et les jeux de mots alors ? Que faire de « brou. Ah ah » par exemple ?

Il existe une expression qui signifie qu'une traduction ne peut jamais respecter parfaitement une œuvre originale : « Traduire, c'est trahir. » À votre avis, est-il plus facile de traduire un article scientifique ou un poème ? Pourquoi ?

À votre tour ! Choisissez la langue que vous connaissez le mieux en dehors du français, et proposez des traductions possibles pour « Doukipudonktan ».

PROLONGE-
MENTS

Groupement de textes : « Les auteurs dans le métro »

« Le poinçonneur[1] des Lilas »

Du Chant à la une ! (1958)

Serge Gainsbourg

Serge Gainsbourg (1928-1991) est un auteur-compositeur-interprète français. La chanson du poinçonneur, extraite de son premier album, est aussi son premier succès. Souvent reprise, elle a tant marqué les mémoires que le nom du chanteur doit être donné à une station de métro en 2023, dans la commune des Lilas.

J'suis l'poinçonneur des Lilas
Le gars qu'on croise et qu'on n'regarde pas
Y a pas d'soleil sous la terre
Drôle de croisière
Pour tuer l'ennui j'ai dans ma veste
Les extraits du *Reader Digest*[2]

Et dans c'bouquin y a écrit
Que des gars s'la coulent douce à Miami
Pendant c'temps que je fais l'zouave
Au fond d'l'cave
Paraît qu'y a pas d'sots métiers
Moi j'fais des trous dans les billets

---

1. Contrôleur des billets, muni d'une sorte de pince nommée « poinçon ».
2. Magazine mensuel américain, qui condense des articles de la presse populaire et qui a de très nombreux lecteurs.

J'fais des trous des p'tits trous encore des p'tits trous
Des p'tits trous des p'tits trous toujours des p'tits trous
Des trous d'seconde classe
Des trous d'première classe
J'fais des trous des p'tits trous encore des p'tits trous
Des p'tits trous des p'tits trous toujours des p'tits trous
Des petits trous des petits trous des petits trous des petits trous

J'suis l'poinçonneur des Lilas
Pour Invalides changer à Opéra
Je vis au cœur d'la planète
J'ai dans la tête
Un carnaval de confettis
J'en amène jusque dans mon lit

Et sous mon ciel de faïence
Je n'vois briller que les correspondances
Parfois je rêve je divague
Je vois des vagues
Et dans la brume au bout du quai
J'vois un bateau qui vient m'chercher

Pour m'sortir de ce trou où je fais des trous
Des p'tits trous des p'tits trous toujours des p'tits trous
Mais l'bateau se taille
Et j'vois qu'j'déraille
Et je reste dans mon trou à faire des p'tits trous
Des p'tits trous des p'tits trous toujours des p'tits trous
Des petits trous des petits trous des petits trous des petits trous

J'suis l'poinçonneur des Lilas
Arts et Métiers direct par Levallois
J'en ai marre j'en ai ma claque

De ce cloaque[1]
Je voudrais jouer la fille de l'air[2]
Laisser ma casquette au vestiaire

Un jour viendra j'en suis sûr
Où j'pourrai m'évader dans la nature
J'partirai sur la grande route
Et coûte que coûte
Et si pour moi il est plus temps
Je partirai les pieds devant

J'fais des trous des p'tits trous encore des p'tits trous
Des p'tits trous des p'tits trous toujours des p'tits trous
Y a d'quoi d'venir dingue
De quoi prendre un flingue
S'faire un trou un p'tit trou un dernier p'tit trou
Un p'tit trou un p'tit trou un dernier p'tit trou
Et on m'mettra dans un grand trou et j'n'entendrai plus parler d'trous
Plus jamais d'trous de petits trous des petits trous des petits trous

1. Dans quel état est le poinçonneur qui s'exprime dans la chanson ?
2. D'après ce que vous comprenez du métier de poinçonneur, qu'est-ce qui peut expliquer cet état ?
3. Quel élément du roman ressemble à un clin d'œil de Queneau à cette chanson, sortie un an avant Zazie ?
4. Le métro fait-il rêver dans cette chanson ?
5. Faites un test et interrogez plusieurs personnes sur leur représentation du métro (en leur demandant 3 qualificatifs par exemple) : sont-ils plutôt poinçonneur ou plutôt Zazie ?

1. Lieu malsain, égout.
2. M'enfuir.

Voyage au bout de la nuit

Céline (1932)

(Éditions Gallimard, repris en « Folioplus classiques »)

À sa parution, Voyage au bout de la nuit, *le roman de Louis-Ferdinand Céline (1894-1961), est un choc pour les lecteurs : d'abord en raison de l'originalité de l'écriture et du ton, marqués par l'oralité, ensuite parce que le narrateur, Bardamu, fait partager une vision extrêmement noire et désespérée du monde. Après avoir traversé la guerre et fait un long périple en Afrique puis en Amérique, Bardamu revient à Rancy, une ville fictive de la banlieue parisienne. Il fait ici plonger le lecteur au cœur des transports en commun qui conduisent les habitants des banlieues vers Paris, où ils travaillent.*

Et on s'engueule dans le tramway déjà, un bon coup pour se faire la bouche. Les femmes sont plus râleuses encore que des moutards. Pour un billet en resquille, elles feraient stopper toute la ligne, c'est vrai qu'il y en a déjà qui sont soûles parmi les passagères, surtout celles qui descendent au marché vers Saint-Ouen, les demi-bourgeoises[1]. « Combien les carottes ? » qu'elles demandent bien avant d'y arriver pour faire voir qu'elles ont de quoi.

Comprimés comme des ordures qu'on est dans la caisse en fer, on traverse tout Rancy, et on odore[2] ferme en même temps, surtout quand c'est l'été. Aux fortifications on se menace, on gueule un dernier coup et puis on se perd de vue, le métro avale tous et tout, les complets détrempés, les robes découragées, bas de soie, les métrites[3] et les pieds sales comme des chaussettes, cols inusables et raides comme des termes[4], avortements en cours, glorieux de la guerre, tout ça dégouline par l'escalier au coaltar[5] et phéniqué[6] et jusqu'au bout noir, avec le billet de retour qui coûte autant à lui tout seul que deux petits pains.

---

1. Femme qui appartient à la classe moyenne.
2. Dégager une mauvaise odeur.
3. Infections de l'utérus.
4. Dates non négociables auxquelles il faut payer son loyer.
5. Sorte de goudron.
6. Rendu brillant par le phénol, une substance chimique désinfectante.

La lente angoisse du renvoi sans musique[1], toujours si près des retardataires (avec un certificat sec) quand le patron voudra réduire ses frais généraux. Souvenirs de « Crise » à fleur de peau, de la dernière fois sans place[2], de tous les *Intransigeants*[3] qu'il a fallu lire, cinq sous, cinq sous... des attentes à chercher du boulot... Ces mémoires vous étranglent un homme, tout enroulé qu'il puisse être dans son pardessus « toutes saisons ».

La ville cache tant qu'elle peut ses foules de pieds sales dans ses longs égouts électriques. Ils ne reviendront à la surface que le dimanche. Alors, quand ils seront dehors faudra pas se montrer. Un seul dimanche à les voir se distraire, ça suffirait pour vous enlever à toujours le goût de la rigolade.

1. Quelle atmosphère ce tableau des transports en commun fait-il percevoir ?
2. S'agit-il d'un tableau exclusivement visuel ? Expliquez.
3. Quelle expression désigne le métro dans le dernier paragraphe ? Comment expliquer le choix de cette périphrase, plutôt que d'écrire « le métro » ?
4. Quels échos peut-on percevoir entre les deux premiers paragraphes de ce texte et Zazie dans le métro ?

« Éclaircie »
La Pluie et le beau temps

Jacques Prévert (1955)

(Éditions Gallimard, repris en « Folio »)

Jacques Prévert (1900-1977) et Queneau se sont rencontrés au sein du groupe des surréalistes, en 1927, et restèrent toujours amis. Dans le recueil La Pluie et le beau

1. Allusion à l'expression « sans tambour ni trompette » : sans préavis et en silence.
2. Emploi.
3. Nom d'un journal vendu à Paris et en banlieue, dans lequel on trouvait une importante rubrique de petites annonces.

temps, *Prévert fait alterner des textes de confidence personnelle avec des fables, des poèmes avec des saynètes : chaque texte réserve une surprise au lecteur.*

Je suis dans le métro, je somnole et soudain je me réveille à cause de quelque chose de désagréable qui me chatouille le menton, je me réveille et vois un petit homme debout, en blouse blanche, qui me passe énergiquement sur le visage un petit balai mouillé.

Ça va, je suis chez le coiffeur, je dormais, me voilà rassuré.

Je m'endors à nouveau, soudain une douleur terrible, on m'arrache en vrille tout le dedans de la tête, je m'éveille et vois un petit homme debout, en blouse blanche, avec une fraise mécanique à la main.

Ça va, je suis chez le dentiste, me voilà rassuré. Et le dentiste m'endort parce que j'ai crié.

À nouveau je suis dans le métro, je somnole, je m'endors. Une femme que j'aime vient s'asseoir près de moi, je ne sais pas qui c'est mais comme toutes les femmes que j'aime elle est nue et belle avec moi.

Les voyageurs nous regardent de travers et, choqués, descendent en protestant à la prochaine station.

La femme que j'aime m'embrasse et le reste s'efface.

Soudain, quelque chose d'horrible me touche l'épaule. La femme que j'aime disparaît. Je tourne la tête, je vois une main sur mon épaule puis après cette main un bras et finalement devant moi, un petit bonhomme debout, vêtu de bleu, avec une pince à trous à la main et qui me demande mon billet.

Je le tue, sans réfléchir. On tire le signal d'alarme, le métro s'arrête, on m'entraîne et je m'endors, je m'endors, je m'endors…

Je suis dans le métro, j'attends cette femme que j'aime, elle vient, elle sourit, elle s'assoit près de moi, elle me prend par le cou, mais…

On me touche à nouveau l'épaule, c'est insupportable, je me réveille.

[…]

1. Que raconte ce poème ?
2. Observez attentivement la construction précise du poème : que remarquez-vous ?
3. En relisant le texte, classez les éléments du récit en deux catégories : ceux qui sont vraisemblables / ceux qui relèvent du délire. Quel est l'effet produit par ce mélange ?
4. À partir des réponses aux questions précédentes, réfléchissez aux points communs entre l'écriture de ce poème et la structure de **Zazie dans le métro.**

Poèmes de métro

Jacques Jouet (2000)

(in *Anthologie de l'OuLiPo*, « Poésie/Gallimard »)

Jacques Jouet (né en 1947) est un écrivain français, membre de l'OuLiPo depuis 1983. Fondé par Queneau, l'OuLiPo est un groupe de passionnés qui, pour explorer de nouveaux territoires poétiques, croient en les pouvoirs des contraintes d'écriture. Ils en inventent et en partagent donc sans cesse, et les « poèmes de métro » en sont un exemple.

Qu'est-ce qu'un poème de métro ?

J'écris, de temps à autre, des poèmes de métro. Ce poème en est un.
Voulez-vous savoir ce qu'est un poème de métro ?

Admettons que la réponse soit oui. Voici donc ce qu'est un poème de métro.

Un poème de métro est un poème composé dans le métro, pendant le temps d'un parcours.

Un poème de métro compte autant de vers que votre voyage compte de stations moins un.

Le premier vers est composé dans votre tête entre les deux premières stations de votre voyage (en comptant la station de départ).

Il est transcrit sur le papier quand la rame s'arrête à la station deux.

Le deuxième vers est composé dans votre tête entre les stations deux et trois de votre voyage.

Il est transcrit sur le papier quand la rame s'arrête à la station trois. Et ainsi de suite.

Il ne faut pas transcrire quand la rame est en marche.

Il ne faut pas composer quand la rame est arrêtée.

Le dernier vers du poème est transcrit sur le quai de votre dernière station.

Si votre voyage impose un ou plusieurs changements de ligne, le poème comporte deux strophes ou davantage.

Si par malchance la rame s'arrête entre deux stations, c'est toujours un moment délicat de l'écriture d'un poème de métro.

1. Avez-vous bien lu le texte ? Décrivez alors le trajet parcouru par le poète pendant son écriture : a-t-il changé de ligne ? Combien de stations son itinéraire comptait-il ?
2. Identifiez les deux interdictions dans ce mode d'emploi : pourquoi sont-elles importantes à votre avis ?
3. Prenez un plan de métro, définissez mentalement un itinéraire, imaginez-vous en train de composer un « poème de métro » : qu'est-ce qui vous semble difficile dans cette contrainte d'écriture ? Qu'est-ce qui pourrait nourrir votre inspiration dans de telles conditions ?
4. Quelle vision du métro est associée à ce poème ?

Histoire des arts

Au verso de la couverture en début d'ouvrage :

Affiche du film de Louis Malle pour sa distribution au Japon, 2009

SOCIÉTÉ D'ÉDITION ZAZIE FILMS

Photo © D.R.

Le film de Louis Malle est sorti un an après le roman de Queneau. Sur l'affiche de 1960 figure presque exclusivement le visage de Catherine Demongeot, l'actrice âgée de dix ans qui interprète Zazie. Même si le film n'a pas rencontré un succès à la hauteur de celui du roman, le sourire de la petite fille est resté célèbre.

La société « Zazie Films », qui a pour but de distribuer et de faire connaître le cinéma européen au Japon, a choisi une autre affiche lorsqu'elle a organisé la sortie du film en 2009.

1. Que pensez-vous de cette affiche ? Quelle impression produit-elle sur vous ?
2. Observez sa composition : quels points communs a-t-elle avec la structure du roman ?
3. Regardez les polices d'écriture utilisées : que constatez-vous ? Quel lien pouvez-vous établir avec l'écriture de Queneau ?
4. Essayez d'identifier les passages du roman qui correspondent aux photographies du film.

Au verso de la couverture en fin d'ouvrage :

Le Fils de l'homme, 1964

RENÉ MAGRITTE (1898-1967)

HUILE SUR TOILE, COLLECTION PRIVÉE.

René Magritte est un peintre belge, qui appartient d'abord au groupe surréaliste de Bruxelles. En 1927, il va vivre à Paris et se met à côtoyer, comme Queneau, le groupe d'André Breton. Pour comprendre le sens de la démarche artistique de Magritte, on peut évoquer la phrase admirative qu'il a prononcée en découvrant une toile du peintre Giorgio De Chirico : « Mes yeux ont vu la pensée pour la première fois. »

Dans une interview diffusée à la radio belge en 1965, Magritte a déclaré à propos du *Fils de l'homme* : « Il y a un intérêt pour ce qui est caché et que le visible ne nous montre pas. Cet intérêt peut prendre la forme d'un sentiment assez intense, une sorte de combat dirais-je, entre le visible caché et le visible apparent. »

1. Que pensez-vous de cette toile ? Quelles sont vos impressions ?
2. Quelle désignation argotique du visage est convoquée dans ce portrait ? En quoi cela peut-il faire penser à l'écriture de *Zazie dans le métro* ?
3. Quel personnage du roman l'homme représenté vous rappelle-t-il ? Pourquoi ?
4. En quoi les propos du peintre, cités plus haut, font-ils écho à ce qui se passe dans le roman de Queneau ?

16th Century Tube Passengers n° 5, 2016

MATT CRABTREE

Matt Crabtree est un photographe londonien. Il exerce aussi le métier de directeur artistique dans une agence de publicité.

Son projet « 16th Century Tube Passengers », que l'on pourrait traduire « Passagers du métro au XVIe siècle », consiste à photographier des anonymes dans le métro, avec son smartphone. Il retouche ensuite les clichés, afin de les faire ressembler à des portraits peints à la Renaissance.

1. Selon vous, qu'est-ce qui fait ressembler cette photographie à un tableau ?
2. Quels détails rappellent néanmoins le lieu et l'époque de cette photographie ?
3. Faites des hypothèses sur le sens que l'on peut donner au projet de l'artiste.
4. Quel est le point commun entre ce projet et les choix d'écriture de *Zazie dans le métro* ?

Entrée de la station de métro Réaumur-Sébastopol, 1904

HECTOR GUIMARD (1867-1942)

PARIS IIe ARRONDISSEMENT, 1904.

Photo © Gilles Tagat / Photo12.

En 1900, la première ligne de métro est mise en circulation à Paris, juste à temps pour l'Exposition universelle (un grand événement qui permet à un pays de montrer au monde ses réalisations industrielles). Pour donner encore plus de prestige à cette nouveauté, la Compagnie du chemin de fer métropolitain de Paris demande à l'architecte Hector Guimard de concevoir les entrées des stations.

Entre 1900 et 1912, Guimard crée 141 entrées de métro. Il en reste 86 aujourd'hui, pour 302 stations au total. Ces réalisations sont marquées par le style décoratif de l'Art nouveau. À la mode entre 1890 et 1914, ce style, qui s'intéresse beaucoup au travail du fer forgé, se caractérise par les lignes courbes, les motifs floraux et végétaux.

« Une œuvre de ferronnerie baroque plantée sur le trottoir se complétait de l'inscription MÉTRO » (*Zazie dans le métro*, début du chapitre 4).

1. Sur la photographie récente, quels éléments de la description de Queneau pouvez-vous identifier ?
2. Faites une recherche rapide sur le mot « baroque ». Quel est le point commun entre le baroque et l'Art nouveau ?
3. En observant la photo, et en imaginant une grille qui fermerait l'entrée, comme celle à laquelle se heurte Zazie, réfléchissez à l'expression « l'abîme interdit ».

Dans la même collection

N° 1 – *Les Fourberies de Scapin* – Molière

N° 2 – *L'Enfant* – Jules Vallès

N° 3 – *Trois courtes pièces* – Molière

N° 4 – *12 fabliaux*

N° 5 – *Le vieil homme et la mer* – Ernest Hemingway

N° 6 – *Boule de suif* – Guy de Maupassant

N° 7 – *Le Cid* – Pierre Corneille

N° 8 – *Candide ou l'Optimisme* – Voltaire

N° 9 – *Paroles* – Jacques Prévert

N° 10 – *L'homme qui plantait des arbres* – Jean Giono

N° 11 – *L'Avare* – Molière

N° 12 – *Le Médecin malgré lui* – Molière

N° 13 – *Romances sans paroles* – Paul Verlaine

N° 14 – *Le Devisement du monde* (textes choisis) — Marco Polo

N° 15 – *La Belle et la Bête* – Madame Leprince de Beaumont

N° 16 – *Le Horla* – Guy de Maupassant

N° 17 — *Fables* (50 fables choisies) — Jean de La Fontaine

N° 18 — *L'Île des Esclaves* — Marivaux

N° 19 — La Genèse (extraits)

N° 20 — *La rencontre avec l'autre, 6 nouvelles contemporaines* — Collectif

N° 21 — *Dire l'amour en poésie*

N° 22 — *Le Petit Prince* — Antoine de Saint-Exupéry

N° 23 — *Yvain ou Le Chevalier au Lion* — Chrétien de Troyes

N° 24 — *Traité sur la tolérance* — Voltaire

N° 25 — *Zazie dans le métro* — Raymond Queneau

Mise en pages : Dominique Guillaumin
Impression Novoprint
à Barcelone, le 18 août 2017
Dépôt légal : août 2017

ISBN 978-2-07-272325-4/Imprimé en Espagne

315728